『天工开物』——中国大发明 书系

缬　染

华觉明　冯立昇　主编

赵翰生　著

U0255656

中原出版传媒集团
中原传媒股份公司

大象出版社

·郑州·

图书在版编目(CIP)数据

缬染 / 赵翰生著. — 郑州：大象出版社，2023. 2
("天工开物——中国大发明"书系 / 华觉明，冯立昇主编)
ISBN 978-7-5711-1725-2

Ⅰ.①缬… Ⅱ.①赵… Ⅲ.①民间印染-印染艺术-中国 Ⅳ.①J523. 2

中国版本图书馆 CIP 数据核字(2023)第 010657 号

"天工开物——中国大发明"书系

缬染

XIERAN

赵翰生　著

出 版 人	汪林中
选题策划	张前进
责任编辑	成　艳
书名题字	卢　获
责任校对	安德华
装帧设计	付锬锬
责任印制	郭　锋

出版发行　大象出版社(郑州市郑东新区祥盛街 27 号　邮政编码 450016)
　　　　　发行科　0371-63863551　总编室　0371-65597936
网　　址　www. daxiang. cn
印　　刷　河南瑞之光印刷股份有限公司
经　　销　各地新华书店经销
开　　本　890 mm×1240 mm　1/32
印　　张　6. 125
字　　数　74 千字
版　　次　2023 年 2 月第 1 版　2023 年 2 月第 1 次印刷
定　　价　48. 00 元
若发现印、装质量问题,影响阅读,请与承印厂联系调换。
印厂地址　武陟县产业集聚区东区(詹店镇)泰安路与昌平路交叉口
邮政编码　454950　　　　　电话　0371-63956290

总　序

　　中国的"四大发明"因其对近代世界历史进程产生过重要影响而备受国人的关注，"四大发明"的说法也广为人知，但"四大发明"是源自西方学者的一种提法，这一提法虽有经典意义，却有其特定的背景和含义，它远不能全面地反映中国的重大发明创造与技术文化传统。中华五千年文明史上的重大发明远不止这四大发明。20世纪以来特别是近几十年来中国的科学技术得到了快速的发展，在社会和经济发展中扮演着越来越重要的角色。中国历史上究竟有哪些重大发明创造，不仅受到学界的关注，也成为公众关心的问题。要想实事求是、客观科学地回答这个问题，必须在中国科技史研究的基础上作进一步的探索和梳理，从中遴选出具有原创性、特色鲜明、对中国乃至世界文明进程有突出贡献和重要影响的重大发明，论述其发生的背景和演进过程。为此，我们邀请科技史及相关领域的专家编写了《中国三十大发明》一书，并于2017年5月出版。该书出版后获得学界和读者的好评，并受到广泛关注，先后荣获第十三届文津图书奖和科技部2018年全国优秀科普作品奖，入选2017年度"中国好书"和改革开放"40年中国最具影响力的40本科学科普书"等。

为了进一步推动中国发明史的研究，普及中国科技文化知识，我们在《中国三十大发明》一书的基础上，又组织编纂了这套"天工开物——中国大发明"书系，目的是更全面细致地阐述中国重大科技发明的内涵，搞清楚其来龙去脉，使读者能够更好地理解和认识中国古代重要科技发明创造及其历史与现代价值。本套丛书中每一本的篇幅都不大，侧重于知识普及，图文并茂，尽可能让读者在不太长的时间内，从科技史家的叙述中，获取每一项发明的有关信息和知识。

　　中国有着悠久的历史文化，中华民族曾经有过许多伟大的发明创造，不仅推动了中华文明的进步，而且对世界文明的进程也产生了重大影响。每一个中国人都应当尽可能正确地了解历史，中国的事情中国人自己要弄清楚，在发明创造的问题上，中国人要有自己的话语权。本套丛书力求体现文化自觉的理念，尽可能全面总结中华民族对人类科技文明的重大贡献。在重大发明遴选方面，我们进行了调整和扩充，将三十项发明扩展为四十余项，特别是适当增加了中国现当代的重大发明。本套丛书从文化传统和全球视野两个方面对中国大发明进行了观照。如汉字和中式烹调术，过去较少被视为重大发明，但它们是中华文明的重要象征，在中国文化与技术传统中占有重要位置，足以列为中国重大发明。特别是汉字，作为中国人记录信息和表达思想的工具，至今还充满生机，不仅对中华文化的形成、传播和传承具有不可替代的作用，而且对日本、朝鲜和越南等周边国家和地区产生了巨大影响。中式烹调术对提高人民生活质量和增强身体健康发挥了重要的作用，随着中国综合国力和国际影响力的增强，中式烹调术也传播到世界各地，并扮演着越来越重要的角色。传统的中医药也蕴含着一些现代科技的先驱性成果，如人痘接种术就属于产生了世界影响的免疫学先驱性成果。

　　我们对中国现当代重大发明同样给予了关注，如以屠呦呦为代表的中国科学家，在继承传统中医临床经验的基础上，运用现代科学手段提取出一种高效低毒的抗疟疾新药青蒿素。青蒿素药物用于临床后，挽救了成千上万患者的生命，为人类健康做出了巨大贡献。水稻是世界的主要粮食作物之一，是全世界约一半人的主食，袁隆平发明的超级水稻栽培技术堪称世界级的原创性重大发明。王选创立的汉字激光照排技术是中国现代印刷技术史上的重大发明，对科学和文化的传播起到了重要的促进作用。文化自觉是一个艰巨的过程，一方面要认识我们的技术文化传统，增强文化的认同感和自信心，另一方面也要更新和转化我们的文化传统与科技，使传统技术与外来的近现代科技对接和融合，同时也使现代科技在中国扎根并得到长足发展。

　　发明与发现是人类社会文明发展内在的原生性动力。中国古代科技有着辉煌的成就，我们的先人对世界文明的进步做出了重要贡献。百余年来，中国一直处于社会剧烈变化和文化转型时期，重大发明创造不多也在情理之中。我们应当在珍惜、重视民族文化传统与历史经验的同时，掌握文化转型与科技发展的主动权，不断提升自主创新能力，为人类科技和文明的发展做出更大的贡献。从历史的长时段发展趋势看，中国科学技术已进入新的加速发展期，中国人的创新意识和创新能力已被激活，今后原创性的发明创造会越来越多，中国科技的繁荣昌盛是可以期待的。

中国历史上究竟有多少重大发明，是一个仁者见仁、智者见智的问题，难免会存在不同的说法或争议。我们希望本套书的出版能够引起更多专家和读者的关注并参与探讨和切磋，进一步完善相关问题的研究，也欢迎学界同仁和广大读者对我们的工作惠予指正。

华觉明　冯立昇

2021年7月28日

目　录

引言：何谓"缬染"

缬染，又称为染缬，是中国古代对几种纺织品印染手工艺方法的泛称。比之织造工艺复杂、技术难度大的锦缎生产工艺，缬染的优点是工艺流程简单，易发现疵病，可大大节省成本。因此，缬染自出现后便得到迅速发展，并在很长一段时间都十分兴盛。直到南宋以后，才因各种原因逐渐衰败，仅在交通不便的山区和少数民族地区还有生产。近年来，随着我国对传统工艺、传统文化保护的宣传力度不断扩大，以及传统技艺抢救保护工程等项目的实施，大众消费观念得到了理性回归，越来越多的人们重新对这种自然健康、朴素淡雅的传统手工制品产生了浓厚的兴趣。无论是在 T 型台上，还是在街上，身着纹样神奇多变、色泽鲜明、自由随性的缬染服装，再次成为时尚。

缬染这个称谓，之所以由"缬"和"染"构成，是据制作这种产品过程中的两个主要工艺而得。"缬"即防染显花。虽然在广义的纺织品印花层面里包括防染显花，但在狭义层面，"印"与"缬"则有很大区别。"印"字，从甲骨文字形来说，左是手爪，右象跪着的人，合起来表示用手按人使之跪拜。后来随着词性的变化，作名词用，泛指印章；作动词用，泛指沾覆色剂后以盖押方式，直接留下盖押印迹。而"缬"字，最初是指以系结的方式留下痕迹，后泛指以绑结、灰浆、夹板方式，并通过"染"而留下痕迹。"染"即染色。古人造的"染"字，是个会意字，由水、九、木三部分组成。"水"字，指用来溶解和稀释色料，没有水就无法将颜色均匀地覆着在布帛上。

"木"字，指颜色的来源，代表那些可作染料的花草和树木。"九"字，指染布帛时的次数，当然不是说整整九次，而是表示染色过程中要反复多次才能得到满意的深浅颜色。

下面就以缬染生产过程中的两个主要工艺——"缬"和"染"为主线，分为上下两篇阐述，以展示和说明缬染技术的发展脉络以及在历史上所取得的成就。

上篇

染尽青林作缬林——缬之技艺

缬染制品由于图案精美可与华丽典雅的丝绸锦缎相媲美，常常与锦缎并称为"锦缬"或"缬锦"。按缬染的工艺方法分类，有绞缬、蜡缬和夹缬，统称为古代"三缬"。它们的工艺实质都是防染工艺，即利用一些方法使织物的花纹部位防染。如绞缬用扎缝的方法防染，蜡缬用蜡防染，夹缬用型版防染。而在这三种缬染方法的基础上孳乳出的蓝印花布，工艺原理也属于缬染范围，所以又有古代"四缬"的统称。用缬染方法染出的花纹，共同特点是染后的成品，或多或少都呈现出一些色散或色裂效果，给人以迷离神奇的感觉，故古人又有"醉眼曰缬"的说法。

一、绞缬

绞缬，又名撮缬或扎缬，是最早出现的一种缬染工艺。而且"缬"这个字可能是魏晋时期专门为绞缬工艺而造的，最初仅指绞缬，如《广韵》释缬为"结也"，《增韵》释缬为"文缯"。唐代文献《一切经音义》释缬为："以丝缚缯染之，解丝成文曰缬也。"元代《古今韵会》亦云："缬，系也，谓系缯染为文也。"大概在南北朝以后"缬"才成为缬染工艺的泛称。其法是在染前对布帛有规划地加以缝绞、绑扎、打结等处理，以造成染液在织物处理部位不能上色，或不等量渗透而形成预期的花纹。绞缬的花纹，色调柔和，花纹的边缘由于受到染液的浸润，很自然地形成从深到浅的色晕，使织物看起来层次丰富，具有晕渲烂漫、变幻迷离的艺术效果。这种色晕效果是其他缬染工艺难以达到的。

1. 绞缬的起源和流变

关于绞缬的出现时间，学术界在过去很长的时间里都认为可能是在汉代。1995年新疆发现的公元前8世纪至公元前3世纪末期的几件绞缬实物，颠覆了这一观点，将绞缬的出现时间大大向前推进。这是目前世界范围内发现的最早的绞缬文物，证实了绞缬萌发于中国而不是外来的工艺，同时证实了至迟在春秋战国时期，我国绞缬工艺就已经得以初步发展。

魏晋南北朝时期，绞缬的发展迎来了高峰期。文献记载的两件事就颇能反映当时的生产状况和绞缬的精美程度。一是北魏人郑云行贿的事。大意是一个叫郑云的人，靠行贿紫色绞缬四百匹，谋到了安州刺史的职位任命。诏书早晨刚下，他晚上便去找熟悉情况的北魏名臣封回，打听安州地界何事捞钱最方便，当即受到封回的严词斥责，以致他惭愧失色①。这个故事中，郑云以四百匹紫色绞缬为贿赂品，足见绞缬制品的精致和产量之高。二是在东晋陶渊明《搜神后记》卷九中记载的一则怪闻："忽见二女子，姿色甚美，着紫缬襦、青裙，天雨而衣不湿。"文中的"紫缬襦"与"鹿"对应，通常被认为是当时流行的紫地白花如鹿胎的绞缬服装。另外，在北朝诗人庾信《夜听捣衣诗》诗句中，还首次出现了后世流行甚广的"醉眼缬"名称。

这个时期的绞缬实物出土较多，主要集中在西北地区，重要的有：新疆吐鲁番阿斯塔那墓群出土的前秦时期大红色绞缬绢、西凉时期红色绞缬绢和绛色绞缬绢；新疆

---

① [宋]李昉编纂，孙雍长、熊毓兰校点：《太平御览》第7卷，河北教育出版社，1994年，第574页。

于田县屋于来克古城遗址出土的北朝时期红色绞缬绢；甘肃敦煌佛爷庙出土的西凉时期蓝色绞缬绢；甘肃花海毕家滩墓地出土的前秦时期紫缬襦残片等。这些出土的绞缬实物，花纹图案均非常清晰，直观且翔实地反映出当时绞缬工艺水平和审美取向。

隋唐五代时期，绞缬的发展进入了鼎盛期。精美奢侈的染缬制品已是贵族妇女和歌伎舞女衣裙的最佳风尚选择。《隋书》记载，隋文帝时，内外官亲侍者以服文缬小花衫子为荣。而在唐代的文献中出现的各类染缬名称有蜀缬、排花蜀缬、碎缬、醉眼缬、红缬、鱼子缬、鱼子深红缬、檀缬、撮缬、鸳罗缬、枫缬、合罗排勘缬、团宫缬、繁缬、细缬、高笼缬、含烟散缬等近二十种。这些染缬的名称，多数为绞缬，间杂一些其他染缬。蜀缬和排花蜀缬，可能是指蜀中夹缬，以产地而得名。白居易诗中的"成都新夹缬"，《唐书》中所记蜀缬袍即此。碎缬，小碎花的绞缬。醉眼缬，花纹带有色晕如醉眼迷离的绞缬。红缬，地色或花色为红色的绞缬。鱼子缬和鱼子深红缬，花斑如鱼子，是绞缬中制作最为简便的一种。檀缬，檀为浅赭色，可能是以色调特点而定的绞缬之名。撮缬，即撮晕缬，为绞缬中制作比较复杂的一种。鸳罗缬，罗织品上有鸳鸯图案的绞缬。枫缬，以枫叶为代表图案的绞缬。合罗排勘缬，合罗即孔眼较大的罗织品；勘，有覆定之意。按字面理解，此染缬可能和排花蜀缬相近。团宫缬，有对称团花的绞缬。

晚唐时，唐文宗为遏制侈靡的时风，下诏规定妇人标准衣饰为"衣青碧缬，平头小花草履"①。这种青碧缬是

---

① ［宋］欧阳修、宋祁撰，陈焕良、文华点校：《新唐书》第一册，岳麓书社，1997年，第320页。

当时客女和奴婢通用之服，因其工艺简单也曾在边远地区广为流行。文献中有这样的记载："西河无蚕桑，妇女着碧缬裙上加细布裳。"①西河指甘肃黄河以西一带地区。唐文宗倡俭抑奢，以粗糙低廉的青碧缬取代花色繁美的高档染缬制品的诏令，实际上在盛唐以来形成的众多女子所崇尚和仿效的着装风尚面前，作用是微乎其微的。其时徐夤诗句："含烟散缬佳人惜，落地遗钿少妓争。"不仅用"含烟散缬"写出绞缬的美妙，并且用遗钿落地无人争抢的事例，反衬出贵族女子无视朝廷诏令的场景。

在传世的唐代和五代绘画上面，女子所穿轻柔的彩衣，亦多是绞缬产品。如辽宁省博物馆藏唐代周昉绘制的

---

① 吕思勉：《两晋南北朝史（下）》，北京理工大学出版社，2018年，第1132页。

上篇图 1　簪花仕女图

上篇图 2　捣练图

《簪花仕女图》（**上篇图1**），该画作以工笔重彩绘仕女五人，女侍一人，另有小狗、白鹤及辛夷花点缀其间。在其中的三个仕女图像上，可以清晰地看到衣内长裙的纹样和外衫上的防白花纹。这些花纹相互交错排列，纹样白色防染处有晕染渗透的痕迹，无疑应是绞缬，而且可能是属于绞缬中的"撮晕缬"。美国波士顿美术馆藏唐代张萱绘制的《捣练图》（**上篇图2**），该画作呈现了唐代贵族妇女捣练缝衣的工作场面。画中几个妇女都穿有绞缬服装，其中手拿绢扇在火炉旁扇火的妇女，所穿青地绞缬裙裤，以白地粉红色团花纹作为装饰，每个团花纹样交错排开，十分精美。北京故宫博物院藏五代南唐顾闳中《韩熙载夜宴图》（上篇图3），绘出了官员韩熙载家设夜宴载歌行乐的

上篇图 3　韩熙载夜宴图（局部）

场面。画中座榻上的三名女子开襟上衣上都缀有晕染效果的大圆圈纹样，尤其是左侧女子的暗蓝色地的黄色圆圈纹十分明显，无疑就是染缬之作。

同时代的三彩陶俑、三彩陶器上，最为多见的也是染缬的衣饰和类似的花纹。如陕西西安王家坟村唐墓出土的女坐俑（**上篇图4**），该女俑身穿的碧绿地小簇白花衣裙，便是当时妇女标准衣饰"青碧缬衣裙"的真实写照。陕西礼泉县安元寿墓出土的唐三彩女立俑（**上篇图5**），该女俑身着蓝地长袍，长袍上稀疏地洒满白色的斑纹，每个白斑的中心点有褐彩，细腻写实地再现了唐代流行的绞缬纹样。河南省巩义市黄冶窑出土的唐三彩残片（**上篇图6**），上面的图案与鹿胎缬、醉眼缬或鱼子缬非常接近，说明唐人对具有晕渲效果绞缬图案的喜爱，以致创造性地转用于日常应用的器皿之上。

上篇图 4　陕西西安王家坟村唐墓出土的女坐俑

上篇图 5　陕西礼泉县安元寿墓出土的唐三彩女立俑

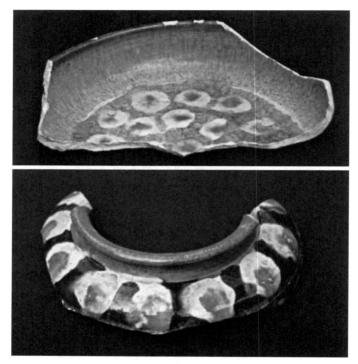

上篇图6　河南省巩义市黄冶窑出土的唐三彩残片

　　在唐代，不仅妇女的衣裙用绞缬，连军队服装也有一大部分采用绞缬。唐朝的制度规定，兵勇的服装须以绞缬色制品为标志号衣，宫廷的御前步骑从队，则一律身穿小

上篇图 7　河南偃师唐恭陵哀皇后墓出土的彩绘风帽男俑

袖齐膝袄，头戴花缬帽。河南偃师唐恭陵哀皇后墓曾出土三件彩绘风帽男俑。所谓风帽，是一种男性冠帽，与唐士兵所戴花缬帽相近，一般与及膝长衫和宽筒裤配套。哀皇后墓出土的三件与绞缬相关的戴风帽俑中，两例为黑地白花，一例为红地白花。披肩风帽及膝，除头顶绘制忍冬纹外，其余花纹均为不规则排列的较大圆圈绞纹（上篇图7）。

在唐代绞缬制品还曾被作为重要的贸易物品，用来以物易物，换取生产物资。文献记载，贞元三年（787年）李泌建议："今吐蕃久居原、会之间，以牛运粮，粮尽，牛无所用，请发左藏恶缯染为彩缬，因党项以市之，每头不过二三匹，计十八万匹，可致六万余头。"[①]吐蕃是由古代藏族在青藏高原建立的政权，党项族则是古代北方少数民族之一，属西羌族的一支。这段记载说明唐朝缺失耕牛，李泌建议用劣质的染缬丝织品通过党项市场换取吐蕃的耕牛，显然这是对唐朝有利的交换。

　　这个时期的出土绞缬实物也有很多，如新疆吐鲁番阿斯塔那北区117号墓所出长16厘米、宽5厘米的唐代棕色绞缬绢，绞缬花样色调柔和，花样边缘受染液的浸润形成的

---

　　①　［宋］司马光编著、［元］胡三省音注、"标点资治通鉴小组"校点：《资治通鉴》第16册，中华书局，1956年，第7494页。

从深到浅的自然色晕，不但使织物看起来层次丰富，而且彰显出其晕渲烂漫、变幻迷离的艺术效果。阿斯塔那308号墓所出唐代绞缬裙子，其上用绛紫、茄紫两色组成菱形网格花纹，十分醒目。值得注意的是裙上所留折叠痕和穿线孔，展示其工艺是先将织物按条状折叠，然后用针线沿斜线曲折向前抽紧，使穿线处块状相叠再入染，染后得折缬效果。文献中的哲缬，很可能就是采用这种工艺。

另据资料显示，大约在唐代，绞缬传到了日本，并很快得到了大众的欢迎。日本的古代文献记载绞染时，直接是沿用中国的汉字"缬"或"绞缬"。从日本正仓院现存的绞缬染织物，也可以观察到类似于后世的鹿子绞、罗仙绞、蜘蛛绞等诸多绞染技法。即使到了今日，采用鱼子缬纹样，结合日本本土特色花纹而制成的和服，仍深受日本人民的喜爱。

　　到了北宋时期，绞缬仍盛行不衰。流行的著名染缬名目有鹿胎缬、锦缬、茧儿缬、蜀缬、撮缬、浆水缬、檀缬、哲缬、三套缬等，其中有些是在唐代就已出现的名称，有些是新名称。如鹿胎缬，花纹是黄褐色地加白色斑点，特点是"斑纹突起，色样不一"。锦缬，花纹是锦纹中常见的几何纹。茧儿缬，花纹是蚕茧形的散点。浆水缬，以浆粉调和的印花浆印工艺而得名。哲缬，"哲"通"折"，或许就是缝绞类绞缬的别名，也可能是画缬，或用笔直接画出。三套缬，即三次套色的染缬。这些染缬制品的精致程度似乎已不逊于织锦，以致朝廷仪仗队的服装开始用染缬代替织锦，就连朝廷赏赐官员的绣、锦之物也变成了染缬。《宋史》记载，宋朝廷仪仗队中服染缬的官兵是：旁头一十人，素帽、紫绸衫、缬衫、黄勒帛；仪锽四十人，皆缬帽、五色宝相花衫、勒帛；乌戟二百一十人，缬帽、绯宝相花衫、勒帛；仪弓二百七十人，缬帽、青宝相花衫、勒帛；每辇人员八人，帽子、宜男缬罗单衫、涂金银柘枝腰带；辇官二十七人，幞头、白狮子缬罗单衫、涂金银海捷腰带、紫罗里夹三襜；执仗服色为缬帽子、素帽子、平巾帻、武弁冠，五色宝相花衫、勒帛；五辂驾士服色为平巾帻、青绢抹额、缬绢对花凤袍、绯缬绢对花宽袖袄、罗抹绢袴、袜、麻鞋；辇官服色为黄缬对凤袍、黄绢勒帛、紫生色祖带、紫绢行滕。

　　绞缬的扎结工艺实际上并不复杂，但需按照纹样要求，一段布料往往要扎绞上几十、几百甚至几千个点，染好色后，还需要将扎结的线拆去，若不小心，很容易将面料扯坏，所以工费十分高昂。北宋朝廷随着国力的衰退，不得不几次诏令禁止民间服用染缬，逐渐抑制了染缬在民间流行的势头。据《宋史·舆服志》载，禁服绞缬之令有：大中祥符七年（1014年）"禁民间服销金及铍遮那缬"，八年（1015年）"又禁民间服皂班缬衣"。天圣三年（1025年）诏："在京士庶不得衣黑褐地白花衣服并蓝、黄、紫地撮晕花样，妇女不得将白色、褐色毛段并淡褐色匹帛制造衣服，令开封府限十日断绝。"政和二年（1112年）诏："后苑造缬帛。盖自元丰初，置为行军之号，又为卫士之衣，以辨奸诈，遂禁止民间打造。"前三次禁令仅是明文规定了民间不得服用的几个染缬品种，政和二年的诏令，则言明染缬只能作为军用和仪仗之品，全面禁止民间服用染缬。

　　朝廷对绞缬生产的相关禁令，直到南宋初期才被解除，绞缬产品得以再次盛行。不过因长时间禁令的影响和审美趣味的变化，绞缬的再次盛行，犹如昙花一现，并最终导致明清期间绞缬几近在中原地区消失，逐渐隐没于少数民族地区及交通不便的山区。

2. 绞缬的工艺

绞缬的工艺可大致分为绘制图案、扎花、染色、拆洗、整理等几道工序。

绘制图案：将图案描绘在布帛上，以便缝扎图案。

扎花：绞缬的图案制作，以缝为主，扎结为辅，缝扎结合，相辅相成。具体方式大体可归纳为四类：

一是缝扎法。依所绘图案的外轮廓进行平缝，每个图案基本上都用一根线完成。缝好后，将平缝线抽紧收拢，使缝处全部皱痕靠拢后打结。再用抽出的线在缝针部位根据需要反复绕圈扎紧加以固定，以确保图案轮廓清楚。扎结松紧的标准是根据织物的紧密度、染色工艺、染色时间的长短和图案的要求而定。对于比较复杂或大型的图案，可采取分段完成的手法进行。不同图案需采用不同的平缝

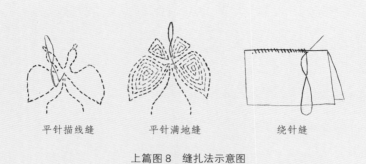

平针描线缝   平针满地缝   绕针缝

上篇图 8　缝扎法示意图

针法。一般来说，弧线清晰的线形花纹，采用平针描线缝，即用平针沿图案的轮廓线外侧缝扎，缝之前将缝线线头打结，缝好后在终端拉紧，然后收拢打结。染色后，针距短的比针距长的线形花纹清晰准确。线形组合的块面花纹，采用平针满地缝，即用平针沿图案的轮廓线内侧缝扎。虚线花纹，采用绕针法，即先将织物上的图案对折，用针线在对折处绕针缝。缝扎法的特点是运用灵活、多变，适于表现变化丰富的图形和具象纹样，但缝扎费时费工，技术要求较高。（**上篇图8**）

　　二是绑扎法。这是一种较为自由的扎结方法，甚至可以不必事先绘出图样，只需将布帛折叠、捏拢或皱缩后用线或绳加以绑扎，被绑部位就会造成防染花纹。如获取条形连续花纹，可将布帛按经向或纬向折叠或捏拢，然后用线绳分段扎紧。获取放射状方形或菱形花纹，可将布帛连续对折，以折点为顶点，在其下部用线绳扎绕绑缚。获取放射状圆形花纹，可将布帛平铺，任取一点，以右手拇指、食指和中指捏撮并提起，用左手在右手下方握拢织物，取棉线在捏撮点的下方捆绑扎结。获取散点式分布的圆形花纹，可将布帛平铺，按前方法在布料上按需要撮起一个个皱突，并分别用棉线绑缚绕扎。获取连续性花纹，可将布帛平铺，折叠成方形、菱形或三角等，然后用线或绳捆扎折角部位；亦可将布帛拧成麻花或辫子状再扎。

（上篇图9）

　　三是打结法。这种方法是不使用线绳捆绑只是将布帛

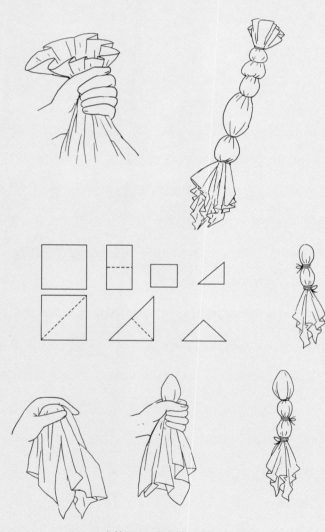

上篇图 9　绑扎法示意图

自身抽紧打结。染色时因打结处严实紧密，起到了阻断染液浸入的作用，染出的花纹随意无规则。一般是将织物对折、对角折或以其他方式折叠，在布帛需要防染的部位打结。有四角结、三角结、折叠结等几种方式。（**上篇图10**）

上篇图 10　打结法示意图

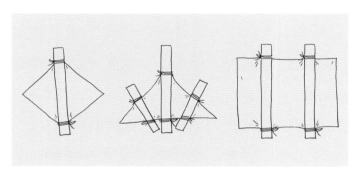

上篇图 11　器物辅助绑扎法

　　四是器物辅助绑扎法。利用各种器具作为扎花的辅助物，使织物染色后呈现别致奇特的花纹。如可以将异物作为衬垫物，如钱币、小石块、小木块等不变形硬物，包扎在布帛里，形成异物样的散布花样；也可用条形、方形或三角形夹板，夹住布帛并用绳绑紧。（上篇图11）

　　染色：将已扎结好的布帛在清水中浸泡湿透，取出沥干后放入染缸中浸染。如果是单色染，可选用一种制成的染液，也可选用几种染料经调配制成的染液，一次染成。

如要得到单色由浅入深的效果，可先将布帛全部浸入染液中，一段时间后，把布帛的上部吊出染液，再加大染液浓度继续染。依此类推，最后洗去浮色，拆线后即可获得由浅入深的推晕效果。如果是叠色染，一般是先染浅色，再染中间色，最后染深色。在入染时采用局部浸染，染的面积大小通过手工操作控制。染完拆线后，不同色彩交叉重叠处会出现新的色彩，使之呈现异彩纷呈的复色、叠色的艺术效果。

拆洗：染色结束后将扎结物取出，清水冲洗去除浮色，干燥后再拆去绞扎的线或其他辅助物后漂洗，置于阴凉处晾干。

处理：拆洗后的布帛因扎结形成了许多不规则的折皱，需经熨平处理，以使绞扎图案的色彩冲击视感表现出来。（上篇图12）

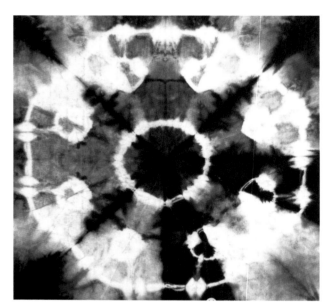

上篇图 12　现代扎染成品

3. 绞缬文物赏析

古代绞缬，其色绚烂，其形精彩，其意美妙，俨然天成，并予人无限遐想。目前所见的绞缬实物，多出于新疆和甘肃两地。其中，一大部分为20世纪初期国外探险者的发现，分散藏于英国、德国、俄罗斯、日本、印度等国外博物馆；另一部分为中华人民共和国成立后的考古发掘所得，大多藏于新疆、甘肃两地的文物收藏单位，少量藏于其他各地的博物馆。据统计，在这些古代绞缬遗存中，可看到缝扎、绑扎、打结、夹扎等各种扎花方式，其中以绑扎最为普遍。而在染色形式上主要为一色染和套色染工艺，以套色染为多。下面简单介绍一些比较有代表性的古代绞缬。

上篇图13为新疆文博单位藏，新疆且末县扎滚鲁克1

上篇图 13　春秋战国时期的绞缬毛织格子平纹布

号墓出土的春秋战国时期的绞缬毛织格子平纹布。从其花纹部分呈菱形纹样且有自然形成的色晕效果来分析，采用的工艺，应该是在毛织布横竖交织形成的规则小方块中进行绞扎的，所以图案排列较为规整。这是目前世界范围内发现的最早的绞缬文物之一。

上篇图14　春秋战国时期的黄地绞缬红色条纹褐

上篇图14为新疆文博单位藏，新疆且末县扎滚鲁克3号墓出土的春秋战国时期黄地绞缬红色条纹褐。这件毛褐，出土时残长23厘米，宽9.5厘米，厚0.12厘米。经纬线均染为黄色，Z向加捻，单股交织，宽0.06—

0.07厘米，以一上一下的平纹组织法交织成黄色褐，平均经纬线密度为12根／厘米。在黄色褐地上，运用缝绞法显出红色条纹。绞染过程中的折合残迹和缝线的针眼仍清晰可见。其过程可能是：将黄色毛织品按一定的距离来回折叠，然后用针线扎好，再用红色染液进行染色。染完后，揭开线结。露在外面的边缘处呈现红色，缝在里面的仍为黄色，形成黄地红色条纹褐。由于在折叠时不够笔直，尤其是在两次折叠的交叉处出现曲折，表面呈现出长波纹状。这也是目前世界范围内发现的最早的绞缬文物之一。

上篇图15为新疆维吾尔自治区博物馆藏，吐鲁番阿斯塔那305号墓出土的北朝时期大红绞缬绢。该绞缬采用绑扎法制作，图案做散点状分布，单个纹样呈方形，对角线完全重合在织物的经纬线上，而且无一例外。方形中心染色部分向四周有放射状晕渲，显然是绑扎后的痕迹。

上篇图 15　北朝时期的大红绞缬绢

　　上篇图16为中国丝绸博物馆藏，新疆吐鲁番阿斯塔那177号墓出土的北朝时期绞缬女绢衣及纹样。该衣总长72厘米，通袖长192厘米，两襟微交，喇叭形宽袖，衣前有

上篇图 16　北朝时期的绞缬女绢衣及纹样

红、褐两根系带，通身绞纹非常小，呈小方点镂空环形，成行排列，远看如线，所用面料是平纹绢。小方点纹采用绑扎法染出，即传统鱼子纈技法。纹样边长0.2厘米，方点之间的上下间距1.4厘米、左右间距1厘米。在出土的丝织品中保存如此完好的北朝绞纈女服非常少见。

　　上篇图17为新疆吐鲁番博物馆藏，吐鲁番出土的唐代

上篇图 17　唐代绿地绞纈绢

绿地绞缬绢。根据这块绞缬绢正、背两面的花纹完全相同，推测采用的扎花工艺是器物辅助绑扎法中的夹板技艺。

　　上篇图18为新疆维吾尔自治区博物馆藏，吐鲁番阿斯塔那墓葬出土的唐代棕色绞缬绢。这件绞缬的纹样呈网眼状，网纹线富于变化，色彩有深浅晕渲层次，而且无一雷同。它出土时上面清晰保留有缝制后的针眼，说明扎花采用的是缝绞法。网纹缬是唐代比较流行的绞缬纹样，唐人李贺诗句"醉缬抛红网"，

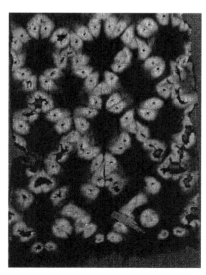

上篇图18　唐代棕色绞缬绢

上篇图 19　唐代朵花绞缬罗

就是指醉眼空花如红网的网纹缬。

上篇图19为新疆维吾尔自治区博物馆藏，吐鲁番阿斯塔那墓葬出土的唐代朵花绞缬罗。

这是一件纹罗织物，墨绿色地，四瓣花纹作散点配置。单个纹样，外廓略似正方形，边长4—5厘米，对角线与织物的经纬相重合。扎花采用缝绞法，因花纹之间有浅棕色晕染现象，推测可能是两色染花。这种朵花绞缬工艺，技术上比较灵活，局限性小，无论是着色散花式样，还是格架严整的装饰效果，兼有所长，较宜于大块织物的染花加

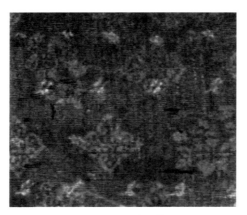

上篇图 20　南宋绞缬罗

工①。而且其富于表现力的效果，亦即晕渲的朵花就像笼

没在早晨的清雾中，与唐人和凝诗句"轻裾花草晓烟迷"

的意境非常吻合。

　　上篇图20为江西德安周氏墓出土的南宋绞缬罗。这件

绞缬罗由于在水中长期浸泡，已很难分辨出原来的色彩，

但其花卉图案的排列及复杂细腻的程度仍可大致辨识。据

报道：周氏墓出土的绞缬品有五件，其中服饰两件，残片

---

① 　王𫐖：《染缬集》，北京燕山出版社，2014年，第74页。

三件，均以绑扎法制成，花纹排列大致相同，既显随意又不失工整细致。周氏墓出土的这些绞缬是目前仅见的宋代实物，弥足珍贵。

二、蜡缬

蜡缬，现在称为蜡染。传统的蜡染方法是先把蜂蜡加温熔化，再用三至四寸的竹笔或铜片制成的蜡刀，蘸上蜡液在平整光洁的织物上绘出各种图案。待蜡冷凝后，将织物放在染液中染色，然后用沸水煮去蜡质。这样，有蜡的地方，蜡防止了染液的浸入而未上色，在周围已染色彩的衬托下，呈现出白色花卉图案。由于蜡凝结后的收缩以及织物的皱褶，蜡膜上往往会产生许多裂痕，入染后，色料渗入裂缝，成品花纹往往出现一丝丝意想不到的不规则色纹，形成蜡染制品独特的装饰效果。

1. 蜡缬的起源和流变

关于蜡缬工艺出现在何时、何地，学术界有不同的说法。

一是埃及说。有学者认为，早在公元前1500年，埃及的蜡防花布就已有很好的名声，后来这项技术经丝绸之路传入波斯、印度、中国、泰国、马来西亚，最后传到日本。支持这一说法的最早实物证据，时间较晚，大约是公元5—6世纪的产物。

二是印度说。有学者认为，蜡染约在2500年前产生于印度，到了公元5世纪，经波斯西传到埃及，公元7世纪时传入中国，再由中国传入日本及马来群岛。另有学者认为，印度蜡缬早在东汉时期即已传入到中国西部边陲。支持这一说法的实物证据是新疆民丰尼雅东汉墓发现的一幅绘有半裸女像的蜡缬棉布。该女像弯眉、高鼻、深目，面容体态丰满、袒胸露乳，颈部挂璎珞，左手持一角状物，角状物上部有谷物颗粒。此形象可能是中西亚地区隆重祭祀的伊什塔尔女神，而且头后背光具有明显印度文化的因素。

三是马来群岛说。有学者认为，蜡染起源于亚洲的马来群岛，包括苏门答腊、爪哇、波罗洲、香料群岛等。其中，爪哇的蜡缬工艺被称为巴提克工艺，是当地制作大披肩的一种独特技巧。其首先在马来群岛各岛之间流行，然后传入亚洲大陆。16世纪荷兰人、葡萄牙人在爪哇开始了贸易，特别是东印度公司的成立，将蜡染工艺传向世界。

四是中国说。有学者认为，早在西周时期染色就已是国家的一项重要经济产业，至迟在秦汉之际，西南少数民族便开始利用蜂蜡和白蜡作为防染的材料，制作出蓝白相间的花布。因此就利用蜂蜡和白蜡为防染材料的历史而言，大约早于埃及、印度好几百年，所以蜡染起源于中国。20世纪60年代，四川省奉节县风箱峡崖棺葬发现了年代约为战国至西汉时期的蜡缬实物碎片，为蜡缬最早产生于中国的说法，提供了最有力的实物证据。

不过从文献记载和考古资料来看，两汉及魏晋南北朝期间，无疑是蜡缬技术走向成熟和大发展的时期。当时西南地区的少数民族利用蜂蜡和石蜡做防染材料，染出蓝地白花或蓝地浅花的花布，称为"阑干斑布"。汉代文献记载，盘瓠的后代织绩木皮，染以草实，好五色衣服，制裁皆有尾形，衣裳斑斓。盘瓠是西南地区苗、瑶、畲等少数民族共同尊奉的祖先，这些民族的服俗是斑斓的"阑干斑布"。因斑布主要产在苗、瑶地区，所以也叫"瑶斑布"。唐人刘禹锡《蛮子歌》有"蛮语钩辀音，蛮衣斑斓布"的诗句，说明这种服用习俗自汉代形成后便传承下来。考古出土的这个时期蜡缬实物不多，而且都是在新疆发现。除前文提到的民丰尼雅东汉墓发现的蜡缬棉布外，还有新疆于田县屋于来克古城遗址出土北朝时期的两件蓝色蜡缬毛织品，以及吐鲁番阿斯塔那墓葬中出土西凉初期的一件蓝色蜡缬绢。其中屋于来克古城遗址中的一件，纹样是以七枚花瓣的小碎花组成的菱形格子纹，在格子纹内绘染有七朵大花；另一件是用小圆点隔断两朵花，排列成整齐的花纹。阿斯塔那墓葬中的那一件，纹样则是由七瓣小花和直排圆点构成。

隋唐五代时期，蜡缬产品非常流行，不仅有棉织品、毛织品蜡缬，而且还有丝绸蜡缬。此时的蜡缬突破了以前多用蓝、白两色的局限，开始使用更多的颜色进行复色套染。在目前出土的蜡缬遗存中，可见蓝色、黄色、棕色、土黄、绿色等诸多色彩。除此以外，蜡缬的用途也更加广泛，不仅用于日常生活中的服饰、帐子、帘幕，还被用于军服和室内装饰。现今可见的唐代蜡缬实物较多，如敦煌莫高窟发现的9件唐代缬染丝织品，其中大多数是蜡缬；吐鲁番阿斯塔那也曾出土一些唐代缬染丝织品。另外，日本正仓院保藏有同时期的蜡缬数件，其中"树下立象图蜡缬屏风"和"树下立羊图蜡缬屏风"，图案精细，布局大方，上、中、下三组纹样结构工整匀称，显然是经过精工设计和画蜡、点蜡工艺而得，是蜡缬中难得的精品。

　　两宋明清期间，中原地区因蜡缬所用的重要原料"蜡"的利用广泛，导致蜡资源匮乏，蜡缬逐步淡出了中原印染的舞台。而在西南少数民族聚居区，由于交通不便、技术交流不畅，兼之蜡资源丰富，蜡缬仍十分盛行，并出现了一些新的工艺方法。这些少数民族聚居区采用的蜡缬工艺和生产情况，在其时的文献里有非常翔实的记载。如南宋朱辅《溪蛮丛笑》记载："溪峒爱铜鼓，甚于金玉，模取鼓文，以蜡刻板印布，入靛缸渍染，名点蜡幔。"便是说侗族人喜爱铜鼓，甚于金银玉器，以"点蜡"的方法获取铜鼓的纹样，入靛缸渍染出服饰的图案。1987年贵州长顺县天星洞发现的宋代蓝地白花蜡缬筒裙，经分析就是采用这种点蜡方法。南宋周去非《岭外代答》中亦记载了一种节省成本的染缬工艺："以木板二片，镂成细花，用以夹布，而熔蜡灌于镂中，而后乃释板取布，投诸蓝中，布既受蓝，则煮布以去其蜡，故能受成极细斑花，炳然可观。"就蜡缬工艺而言，画蜡和染色是其两个重要的核心环节。画蜡一般都是用竹笔或蜡刀蘸取蜡液手绘蜡纹在布料上，入染化蜡后蜡纹消失，不可再现，属一次性完成的工作。而将纹样刻在板上，再在纹样处注入蜡液形成蜡纹，化蜡后纹板可重复使用，大大节省了画蜡时间，进而降低了绞缬成本，非常经济实用，且适宜同一纹样重复性的大批量生产。再如明代《嘉靖图经》记载：
"西南苗，妇女画蜡花布。"《贵州通志》记载："境内
苗民，妇女衣裙用蜡画布，花彩鲜明。"说明蜡缬是苗族
妇女日常不可缺少的工作和服装用品。时光流逝，岁月荏
苒，今天的贵州、云南、广西、四川等少数民族地区仍然
保存有原生态的蜡染制作方法和使用习俗，将他们制作的
蜡缬产品与出土文物比对，可以看出蜡染技艺与染缬文化
的发生、发展和演变的脉络。

2. 蜡缬的工艺

蜡缬的工艺可大致分为布帛处理、构图定位、熔蜡、
画蜡、染色、去蜡漂洗等几道工序。

布帛处理：为便于画蜡，布帛往往要进行挺括平整处
理。近代少数民族妇女采用的方法是先将自产的布用草灰
漂白洗净，然后用煮熟的魔芋或白芨汁捏成糊状均匀涂抹

于布的反面，待晒干后，再用光滑的牛角或卵石将布面磨平、磨光，这样布就比较挺括平整了。当然密度较大、较平整的布帛也可以省去这道工序。

构图定位：事先构思好画的内容，再根据以后要制作的服饰的需要，定位纹样在布帛上的位置。熟练的画蜡高手，均不用事先画稿，信手拈来，至多在画蜡前用笔在布上轻画出大片的图样，然后大胆运笔。图省事的妇女则会使用模板勾画纹样轮廓。

熔蜡：因蜡在常温下呈固态，画蜡前需将蜡放在小铜罐或小铁勺中，在炭火上加热变成液态。所用蜡多为石蜡和蜂蜡，其中石蜡是矿物合成蜡，熔点在58℃—62℃，黏性较小，染色时易形成蜡裂纹，而且较易脱蜡。蜂蜡是从蜂巢中提取出来的一种黄色透明固体，熔点在55℃—62℃，黏性较大，不易裂碎，绘制线条较佳。也有用树浆

上篇图 21　粘膏树

代替蜡做防染材料的，如贵州白裤瑶人所用便是取自一种他们称为"粘膏树"的树浆。这种树非常神奇，凡取过浆的，树干形状都会发生变化，形状多为棒槌状，没有取过浆的树形状则与普通树无异。（**上篇图21**）

　　画蜡：画蜡时可用削尖的竹笔，不过因竹笔蘸蜡时蜡易凝固，故用得最多的还是便于保温的铜制蜡刀。各地沿用的蜡刀有些差异，但基本大同小异。（**上篇图22**）常见的蜡刀的刀口一般呈弧形，是用双层铜片或多层铜片叠摞在一起，铜片之间保持间距，以紫铜制作的最好。沾蜡后蜡液就留存在铜片之间，接触布面后，敷着在布上。这道工序是蜡缬的关键技术，不仅决定图样的美观与否，还决定防染是否成功。画蜡时，首先需掌握好蜡液的温度，温

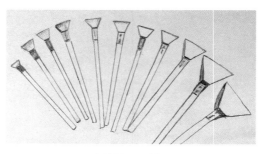

上篇图 22　蜡刀

上篇图 23　画蜡

度过高，蜡液会四处渗开，影响线条的流畅性与均匀度；温度过低，蜡液浮在坯布面上会很快凝结而不能起防染作用。其次是需熟练掌握蜡刀角度的变化，才能绘出光滑圆润、均匀饱满、极富弹性的直曲线条，点出圆、半圆齿纹等各种图案的花样。再就是画蜡的速度和力度，虽然用铜片做成的蜡刀能较好地保持蜡液的温度，但画蜡的速度和力度掌握不好，稍有犹豫或停顿，蜡液会流成一大滩，影响线条的流畅和均匀。画好蜡的布帛通常还要固定在平台或竹圈上，防止画蜡部分折叠导致蜡裂而出现多余的冰纹，影响图案的整体效果。（上篇图23）

染色：布帛投入染缸前，需先用水浸透，以便布帛浸染时能够着色均匀。以蓝靛染色为例，将浸过水的布帛取出，滴干水后抖散，缓缓地放入靛缸，轻轻翻动，染20—30分钟，将织物捞出，在空气中充分氧化，再放入缸中染色。如此反复几次，便可取出清洗，晾干后再继续染色。如果是浅色染，二三次即可，深色浸染可多达七八次，甚至十次。最后几次染色前，可刷豆糊浆以加强染液的固着力。染色过程中为了检查染的效果，可扭拧布最边上的一个小角，如果扭痕处的颜色没有变浅，则证明布已经均匀上色了，已经染好了，如果颜色变浅，则意味着布还没有完全上色，需要再次浸染。

去蜡漂洗：将染好的布帛放入开水中浸泡，并不停地翻动。经过高温水的浸泡，布上的蜡慢慢地熔化开来，与布相分离。蜡脱掉了，花纹出现了，就可以把布捞出来，

上篇图 24　蜡染成品

放到清水中清洗，除去布上的渣滓及浮色，然后晾干，整个蜡缬制作就全部完成了。（上篇图24）

3. 蜡缬文物赏析

蜡缬作为中国传统手工艺的一种，其制作工艺之讲究，纹样之别致，承载了丰富的历史和文化内涵。其蕴含的细腻情感和独特的产品观感，彰显着手工艺品的艺术魅力，是现代印染工艺无法替代的。下面简单介绍一些比较有代表性的古代蜡缬。

上篇图 25　东汉蜡染棉布

　　上篇图25为新疆维吾尔自治区博物馆藏，新疆民丰尼雅东汉墓出土的蜡染棉布。这件东汉蜡染实物，即是蜡染起源于印度的重要依据。但从实物看，它的上端残存一只人脚、一段狮尾和一只狮爪，下端印有长龙与飞鸟，又是中国传统的祥瑞图案，说明它是文化交流的产物，具有丰富的历史内涵。这件蜡染不仅是国内罕见的早期以佛教为内容的图像，也是迄今为止发现的最早棉布标本，尤为珍贵。

　　上篇图26为新疆维吾尔自治区博物馆藏，新疆于田屋于来克古城遗址出土的北朝时期蓝色蜡染毛织品。其上纹样

上篇图 26　北朝时期的蓝色蜡染毛织品

是以七枚花瓣的小碎花组成的菱形格子纹，在格子纹内绘染有七朵大花。应是采用点蜡法制成，即用凸纹的点蜡工具蘸蜡点在织物之上，每一点形状一般都是圆的，每一种工具则分别被刻成一排或圈圆点，甚至是一朵由圆点组成的小花。使用这种工具能印出当时许多以圆点为基础的蜡缬作品。这种方法后来传入西南地区，贵州平坝县棺材洞等处出土了用点蜡法印制的棉布实物及点蜡用的工具实物，说明了点蜡法在西南少数民族地区得到了进一步发展。

上篇图27为新疆维吾尔自治区博物馆藏，吐鲁番阿斯

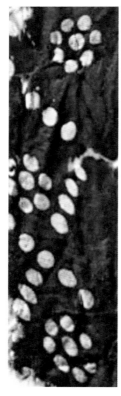

上篇图 27　西凉时期
的蓝色蜡缬绢

塔那墓葬出土的西凉时期蓝色蜡缬绢。其蜡纹清晰，浸染均匀，图案风格与于田出土的北朝时期蓝色蜡染毛织品相近，说明这一时期新疆地区的蜡染以几何纹或以几何形构成的花卉为主。

上篇图28为日本正仓院藏唐代"树下立羊图蜡缬屏风"。此蜡缬是印在淡黄色的丝织物上，颜色有茶黄和淡绿色两色。图案以羊和树为主体辅以小山、小草和两只小猴构成。羊的造型写实，尤其是那一对弯弯的犄角非常生动。树上的树叶、两只小猴以及地上的小草注

上篇图 28　唐代树下立羊图蜡缬屏风

染成绿色，使画面与生活更为接近。图案下方的小山，明显与羊、树不成比例，显然是为了突出所要表现的对象，这是古代绘画中常用的技法。在古代中国，羊是吉祥之物，代表着和谐。

上篇图29为日本正仓院藏唐代"树下立象图蜡缬屏风"。此蜡缬是印在较粗的淡黄色丝织物上，构图与"树下立羊图蜡缬屏风"相似，以象和树为

上篇图 29　唐代树下立象图蜡缬屏风

主体辅以小山、小草和一只小猴构成。象在中国也是吉祥

之物，有"万象回春"和"万象更新"之意。

上篇图 30　宋代鹭鸟纹彩色蜡染褶裙

　　上篇图30为贵州省博物馆藏，贵州长顺县天星洞发现的宋代鹭鸟纹彩色蜡染褶裙。这件蜡染裙，形制为百褶式上接由白色麻布制成的裙腰。纹样整体是采用横分割的布局设计，将裙子划分为裙肩、膝斓、下摆三个装饰带，三个装饰带之间以横线条纹间隔。裙肩部分的装饰纹样是一对对相伴的鹭鸟纹。在鹭鸟周围空隙部位，则以涡线纹填补，结构紧凑。裙子膝斓部分主要由涡状线组合成一条舒畅的装饰带。下摆部分作相间对称连续排列的主体纹样，系用针刺绣的藤蔓纹与盘绦纹。裙子颜色以藏蓝色为主，配以白、暗橘黄、月白、柳绿等色花纹，暗橘黄与藏蓝在色相上对比强烈，可提高色彩的醒目度。裙子的整体，朴质明朗，活泼而不妖艳，具有强烈的民族气息。所用染料大体为就地取材的蓝靛、黄栀、杨梅汁等植物色彩，用浸染法和局部涂染法施染。

上篇图31为安顺贵州蜡染文化博物馆藏，贵州平坝县棺材洞发现的宋代鹭纹彩色蜡染裙。该裙裙腰为麻质，裙身为棉质，蓝地显彩色花纹。其工艺包括填彩蜡染、挑花和刺绣及布条拼花。其中蜡染花纹采用点蜡法绘制，线条流畅，形态逼真。

上篇图31　宋代鹭纹彩色蜡染裙

上篇图32为明代"盘肠"图案的蜡缬。"盘肠"是佛门八宝之一，佛

上篇图 32　明代"盘肠"图案蜡缬

教经常用八种器物来象征吉祥，即法螺、法轮、宝伞、白盖、莲花、宝瓶、金鱼和盘肠，人们称之为"八吉祥"或"佛八宝"。在《雍和宫法物说明册》中是这样解释这八种宝物的："法螺，佛说具菩萨果妙音吉祥之谓；法轮，佛说大法圆转万劫不息之谓；宝伞，佛说张弛自如曲覆众生之谓；白盖，佛说遍覆三千净一切药之谓；莲花，佛说出五浊世无所染着之谓；宝瓶，佛说福智圆满具完无漏之

上篇图 33　清代"喜鹊莲鲤"图案蜡缬

谓；金鱼，佛说坚固活泼解脱坏劫之谓；盘肠，佛说回环贯彻一切通明之谓。"盘肠位居第八位，在民间寓意恒长永久、连绵不断。这件蜡缬，画蜡自然，图案生动。

上篇图33为清代"喜鹊莲鲤"图案的蜡缬。喜鹊、莲、鲤鱼是民间喜闻乐见的吉祥图案，分别寓意喜事临门，多子多孙，金榜题名。这件蜡缬，画蜡细腻流畅，图案充满了勃勃生机。

三、夹缬

夹缬实际上是型版防染印花。其法是用两块雕镂相同的图案花版，将布帛对折紧紧地夹在两板中间，再把所需要的各色染料通过浸染或注染的方式，将颜色染印在织物上，染好后取出，待染液沥干后拆除掉花版，织物上就显出相应的花纹。古代"夹缬"的名称，就是由这种夹持印制的方式而来。单色夹缬一般只用一块花版，复色夹缬需用多块花版，用几种颜色复染。

1. 夹缬的起源和流变

关于夹缬工艺的出现时间，主要有三种不同的观点。

一是肇始于秦汉。唐人刘孝孙《二仪实录》记载：夹缬"秦、汉间始有之，陈、梁间贵贱通服之。隋文帝宫中者，多与流俗不同"。

二是起源于隋代。五代人马缟《中华古今注》记载：

"隋大业中，炀帝制五色夹缬花罗裙，以赐宫人及百僚母妻。"

三是起源于唐代。宋人王谠《唐语林》记载："明皇柳婕妤有才学，上甚重之。婕妤妹适赵氏，性巧慧，因使工镂板为杂花象之而为夹结。因婕妤生日献王皇后一匹，上见而赏之，因敕宫中依样制之。当时甚秘，后渐出，遍于天下，乃为至贱所服。"

这三种观点各有支持者和反对者。

对第一种观点，支持者认为汉代的型版印花技术水平已非常高超，马王堆汉墓出土的印花敷彩纱和泥金银印花纱，其工艺水准已达到相当高的境界。夹缬系型版染花，触类旁通，汉代出现夹缬工艺是完全可能的。反对者认为《二仪实录》一书记载的史事，常以意附会，不可尽信。

对第二种观点，支持者认为《中华古今注》以考证名物制度为主，被公认为水平较高的史籍之一，在史料的可靠性上毋庸置疑。而且就工艺传播的规律和唐代夹缬制品流行程度来分析，隋代出现夹缬工艺应该是成立的。反对者认为隋代起源说在史料中只有《中华古今注》一书记载，更没有发现隋代夹缬实物，此记载属孤证，更加凸显这种观点在史料依据上的单薄。

对第三种观点，支持者认为唐代始有夹缬之名称。因为《唐语林》一书的材料均采录自唐人五十家笔记小说，广泛记载唐代的政治史实、宫廷琐事、士大夫言行、文学家轶事、风俗民情、名物制度和典故考辨等。《四库全书总目》说："是书虽仿《世说》，而所纪典章故实，嘉言懿行，多与正史相发明，视刘义庆之专尚清谈者不同。"而且书中关于夹缬的记载，时间、地点、人物交代得非常清楚，另有大量其他文献记载和出土实物作为佐证。反对者认为唐代起源说与古代新工艺的产生和传播规律相悖，《唐语林》一书只是照搬唐人赵璘《因话录》的内容，而赵璘与所记载的夹缬发明者赵柳氏之间存在明确的族亲关系，书中关于重要人物柳婕妤的记载与正史记载有非常大的出入，这种记载的客观性和真实性颇为可疑，仅可看作野史传奇，实不可作为信史使用。

虽然夹缬的起源时间有较大争议，但夹缬工艺在唐代得到完善，夹缬制品成为高档流行染织品却是不争的事实。在三首唐诗中出现了直接以夹缬为名词喻物的诗句，其中白居易两首，《玩半开花赠皇甫郎中》诗云："成都新夹缬，梁汉碎胭脂。"《泛太湖书事寄微之》诗云："黄夹缬林寒有叶，碧琉璃水净无风。"薛涛一首，《春郊游眺寄孙处士》诗云："今朝纵目玩芳菲，夹缬笼裙绣地衣。"而唐代夹缬的实物，在新疆吐鲁番、青海都兰等地的墓葬中都有出土，但数量不多。不过在敦煌藏经洞曾发现许多套色或单色的实物（由于历史原因，这些实物多保存在欧洲的各个博物馆中）。在日本正仓院中也保存有若干件。可见唐代期间夹缬制品确已在宫廷和官宦阶层流行，非稀罕之物了。

　　五代两宋期间，夹缬工艺继续发展，并且时有新样出现。文献记载，五代时后周显德年间，都城开封染工创制出一种图案为黑色地显黄色花，名叫"尊重缬"的新式缬类产品。这种染缬出现后很快就流行开来，当时工部郎陈昌达嗜好缘饰，曾变卖家中珍藏的琴剑，定制了一顶用尊重缬镶边的帐幔。显然尊重缬的花色非常别致，且价格不菲。1956年江苏苏州虎丘塔中发现的藏经石函中，有一在碧色地上印浅黄色双鹦鹉小团花的北宋印花经袱。从图案风格上看，有研究者认为此经袱与文献所记五代"尊重缬"似乎有一定的渊源关系。北宋时，都城开封一孟姓染工创制出花纹为两大蝴蝶相对的"孟家蝉"染缬，民间竞服之。而在洛阳城，风靡市场的染缬则是由一李姓染工创制出的"装花缬"。装花可能即是后世所言织锦生产中的妆花工艺。以装花为缬名，似乎应是仿照织锦花纹缬染的多彩丝绸。需要说明的是"尊重缬""孟家蝉"和"装花缬"在文献中没有言明属于哪类染缬产品，但就其工艺复杂程度和昂贵不菲的价格分析，应是夹缬类产品。

　　尽管高档精致的夹缬产品制作成本低于锦绣，但仍花费巨大。北宋朝廷曾下诏"令开封府申严其禁，客旅不许兴贩缬板"，以便从根源上杜绝夹缬在民间的流行。南宋初期这个禁令被解除，夹缬生产很快又兴盛起来。当时民间大的染坊，印染斑缬的花版，一般都有数十片，动辄染包括各类染缬制品的色帛数千匹。如此大的生产量，交易规模自然也不会小，《东京梦华录》卷二载临安"金银彩帛交易之所，屋宇雄壮，门面广阔，望之森然，每一交易，动即千万，骇人闻见"。山西南宋墓曾出土过一件镂空版白浆夹缬印花罗，雕版及印浆均十分讲究，反映出当时染缬技术水平是相当高的。

到了明清时期，工艺相对简单的油纸镂花染缬开始风行，生产夹缬的地方越来越少，但从明代皇陵有夹缬出土、北京故宫博物院有明代夹缬藏品来看，在明代宫廷的高档纺织品中夹缬仍保有一定的地位。

2. 夹缬的工艺

夹缬的工艺可大致分为刻版、叠布装版、染色、卸花版、漂洗晾晒等几道工序。

刻版：夹缬的花版有凸纹花版和镂空花版两种型制，均以木材雕刻而成。质地结实、纹理细致的木材，可雕刻面积比大、难度高、线条复杂的造型；稍差些的木材，可用于雕刻面积比相等的图案；再差些的木材，一般只能雕刻粗犷的花鸟图案。无论好坏木材，都要经过浸泡、修整、存放、刨光、再修整、打磨后，才能进行雕刻。

凸纹花版和镂空花版的雕刻大致相同。需先将构思的图案画在纸上，然后贴在木板上待刻。若有现成的雕刻花版，可将其作为母版，把纹样印在木板上。方法如同拓印一般，即将墨用刷帚刷在母版上，用白纸盖上，压紧后用擦子压平轻磨，使母版花纹拓印至纸上，接着再将拓印有图案的纸贴在待刻的木板上。在雕刻图案过程中，为便于以后染色时染液能顺利地在槽中流动，还需要在花版上的每个封闭图形区域中凿刻一些小孔以及一些阴刻凹槽。一般每块花版至少要有10个直径为0.3—0.6厘米的小孔和数

上篇图 34　夹缬版

道阴刻凹槽，使之上下左右连通。（**上篇图34**）

　　叠布装版：夹缬上的图案是靠夹缬花版紧紧夹住布，使之达到防染效果来呈现图案的。装版质量的高低，直接关系到染后的呈花效果，如果装不好，染液就容易渗开，不同色区的颜色就会混到一起，相互影响，因此装花版这道工序非常关键。具体方法是：用花版把叠好的坯布夹在中间，并以坯布边同花版中心边缘对齐摆平为准。然后再用铁架框套住花版，用木楔敲紧。为了防止花版外的布边堆积导致染色不均衡，还要在铁架边上用竹片挂上小钩，把布边逐一钩起，使布边染色时充分氧化，同时不影响染液在花版中的流通，有利于花版中心的布料染色均匀。

染色：分浸染和注染两种方式。据国家级非物质文化遗产传承人吴元新先生实践经验，浸染时，缘于花版有很大的重量，染工往往运用杠杆原理，将一根竹竿从五分之一处绑紧吊起，并在一头装上钩子，另一头用绳、砣牵压在不同的位置。将夹缬布版横放，把打好结的绳子系在固定夹版的铁架中，并吊在竹竿的钩子上，然后另一端抬起竹竿并把铁架连同花版一起放入染缸，半小时取放一次。每次夹版取出时，要搁在木制的架上左右摇晃，让花版中心的染液能从版孔中流出，使染好的织物经过空气氧化还原，颜色才能逐渐加深，并保证花版外的布边同时上色。这样反复浸染6—8次，直到颜色满意为止。注染往往用于复色夹缬，凸纹花版和镂空花版有所不同。凸版注染主要是用两块雕刻有相同图案且镜像对称的花版夹紧布料，并用绳绑牢。注色需根据色区的需要，在不同凿孔中注入不同颜色。如只有少数几个色块需要其他颜色，可以先注染这些部位的颜色，染好后用木楔将孔堵住，再将整块花版投入染缸浸染即可。镂空版注染则要用多块刻有相同花纹且完全镂空的花版夹紧织物，织物上与花版接触的部位，由于被夹住而染不上颜色。染色时，在镂空纹样的不同区域中注染所需的颜色，使得染液渗入。在进行第一次注染后，可依据图案色彩需要，再次注入其他颜色的染料进行复染。

卸花版： 染色结束后从染缸中将夹有布匹的花版取出后把花版拆除。（**上篇图35**）

漂洗晾晒： 染出的夹缬还需经过几次漂洗以去除浮色，而后用竹竿挑至晾晒架上晾干。

上篇图 35　拆除夹缬版（采自吴元新等编著《中国传统民间印染技艺》）

3. 夹缬文物赏析

古代夹缬，风格多样，色彩细腻，艳丽清新。图案内容大致有花卉、禽鸟、动物、人物等几种类型。现今能看到的夹缬实物多为唐至五代期间制作的，宋以后的较少，印证了染缬工艺逐渐衰落的景况。下面是一些比较有代表性的古代夹缬。

上篇图36为伦敦维多利亚和阿尔伯特美术馆藏，敦煌藏经洞发现的唐代"蓝花夹缬小幡"。造型为三角形，幡身是小花夹缬，花和叶组成了四方连续。

　　上篇图37为伦敦维多利亚和阿尔伯特美术馆藏，敦煌藏经洞发现的唐代"蓝地团花夹缬"。以绢为地料，图案为花形饱满的团花，交错排列，四周簇拥六片叶子的纹

上篇图36　唐代蓝花夹缬小幡　　上篇图37　唐代蓝地团花夹缬

样，在团花之间装饰有小朵花卉纹样，布局疏朗大方，色彩明快。此夹缬制作时需要三块花版，分为地、花和叶三个区域，木板上的凿孔根据纹样不同部位染色的需要决定，先后浸染三次，染成深蓝色地、绿色叶和橘红色花，在浸染时将其他区域的凿孔堵上。

上篇图38为伦敦维多利亚和阿尔伯特美术馆藏，敦煌藏经洞发现的唐代"红花绿叶夹缬"。图案以一朵四瓣花配以四个叶片为一个单元，众多单元连续排列组合成整体。由于红花绿叶是在黄色绢地料上缬染出，画面感较别致。

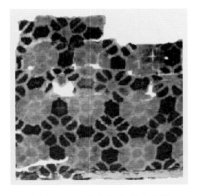

上篇图38　唐代红花绿叶夹缬

上篇图 39　唐代蓝地花卉纹夹缬

上篇图 40　唐代朵花团窠对鹿夹缬幡

上篇图39为巴黎吉美博物馆藏品，敦煌藏经洞发现的唐代"蓝地花卉纹夹缬"。以蓝色作地，绿色作叶，宝相花图案，大而饱满。染色时，先浸染出蓝色的地色，然后再分别注染出绿色的叶子和红色部分。

上篇图40为艾尔米塔什博物馆藏，敦煌藏经洞发现的唐代"朵花团窠对鹿夹缬幡"。图案为朵花连成的团窠

上篇图 41　唐代朵花团窠对雁夹缬及纹样复原图（采自赵丰主编《敦煌丝绸艺术全集·英藏卷》）

环中花树对鹿造型。此夹缬染包括两种基本色彩：一是橘黄色，主要用于染地；二是蓝色，用于染鹿、树和团窠框架。两种色彩有时重叠，因此团窠环上的朵花由褐蓝向明蓝相间排列。

上篇图41为敦煌藏经洞发现的唐代"朵花团窠对雁夹缬"。这件夹缬绢共有三片，其大小尺寸相近，均在24—

26厘米之间。其中大英博物馆藏有两片，另一片藏于艾尔米塔什博物馆，已折成三角形用作幡头。三片织物可以拼复出完整的图案。整个图案以蓝色为地色，团窠为主造型。图案的中心有牡丹和八只两两相对振翅欲飞的大雁。中心圆的外框用十六朵团花连成。

　　上篇图42为日本正仓院藏，唐代"绀地花树双鸟纹夹缬"。此夹缬长104厘米，宽53.5厘米，原为长方形褥子料。图案以蓝色染地为基调，主图案为一莲座上盛开的花树，在花树和莲隆之间，左右各有一只相向作展翅欲飞状的鸟。花树之上有四只两两相向振翅飞翔的鸟，其空隙中则点缀有各色花卉纹样。染色时先浸染出蓝色的地部及花卉局部，然后再注染出红色的鸟纹、花卉，绿色的叶子局部，黄色的叶子局部等部分。

　　上篇图43为日本正仓院藏，唐代"对鹿纹夹缬屏

上篇图 42　唐代绀地花树双鸟纹夹
缬

上篇图 43　唐代对鹿纹夹缬
屏风

风"。此夹缬构图为一棵大树下有一对悠闲的梅花鹿，两鹿中间有一棵花草，整体图案优美生动，富有生活情趣。染色分三次进行，先染淡黄色的地色，再分别染橘黄色和绿色。鹿谐音"禄"，是古代常见装饰图案，在唐代更是流行题材，新疆吐鲁番出土的唐代织锦中就有大量的鹿纹图案。

上篇图44为日本正仓院藏，唐代"花树山鹊夹缬屏风"。此夹缬是印在较粗的淡黄色丝织物上，染印茶黄和橘红色，局部有蓝绿色。构图为一棵盛开了花的树，树下山石上站着一只回首翘尾的山鹊，并点缀有花草和飞舞的蜂、蝶。据正仓院"国家珍宝帐"记录，类似的"鸟木石夹缬屏风九叠，各六扇"。

上篇图45为日本正仓院藏，唐代"双雉衔蝶图夹缬屏风"摹本。构图为两只雉鸡在花树下争食落在地上的蝴

上篇图 44　唐代花树山鹊夹缬
屏风

上篇图 45　唐代双雉衔蝶图夹缬
屏风（摹本）

蝶。雉鸡上方的花树，大花大叶，花叶边有蝴蝶飞舞。雉鸡下方有对称的石头和小草。雉鸡即野鸡，因颈下有白羽一圈，又称"环颈雉"。环颈雉图案是子、男夫人祭服上的规定格式图案，而在唐代流行纹样中也有"对雉、斗羊"等格式图案。此图应是唐代权贵阶层的流行风格在印染工艺中的反映。

上篇图46为柏林印度艺术博物馆藏，吐鲁番出土的唐代"对鸟纹夹缬绢"。此夹缬绢破损情况较为严重，可能是某件大型夹缬织物的残留部分。目前保留下来的部分，图案为两只相对的鸟头，其上方菱形的四周有类似小花瓣的装饰。染色时先浸染红色的地部和鸟头、鸟嘴等与地同色的图案部分，而后注染出蓝色鸟眼和菱形等部分。

上篇图47为新疆维吾尔自治区博物馆藏，吐鲁番出土的唐代"狩猎纹夹缬绢"。此夹缬深红色绢地，图案生动

上篇图46　唐代对鸟纹夹缬绢　　　上篇图47　唐代狩猎纹夹缬绢

有趣，内容为骑士射狮、猎犬追兔、猎鹰逐飞鸟，并有山和树纹。染色时先浸染地色，然后再注染出图案。

　　上篇图48为青海省文物考古研究所藏，唐代"蓝地团花夹缬绢残片"。残片由两块夹缬织物拼缝而成，上面一块为蓝地团花夹缬，下面一块为黄地折枝纹夹缬。前者染色时，先浸染出蓝色的地部，然后注染红褐色的花卉；而

上篇图 48　唐代蓝地团花夹
缬绢残片

上篇图 49　辽代南无释迦牟尼像
夹缬

后者则先浸染出黄色的地部，然后再分别注染出红色和蓝
色的花卉。

　　上篇图49为山西应县佛宫寺木塔中发现的辽代"南无
释迦牟尼像夹缬"。此夹缬为绢本，本色带黄，用红、蓝两
色印染。画幅高65.8厘米、宽62厘米，接近正方形。画面中
的释迦牟尼披红色衣，头部光圈内红外蓝，两手扶膝端坐于

莲台，佛周边的各色人物则双手合十肃立。顶部的华盖纹饰
是宝相花。其外边缘处印"南无释迦牟尼像"七字，字体左
反而右正，说明是将绢双叠印染的。这种以佛像形式出现的
夹缬，在现存古代夹缬中是仅见的一例。

　　上篇图50为
内蒙古赤峰市巴林
右旗庆州白塔寺发
现的辽代"白地莲
花夹缬罗"。图案
由四个莲花图案方
块构成，花中莲子
清晰可见，寓意多

上篇图50　辽代白地莲花夹缬罗

子。染色时，将织物四折，使用一套夹缬版对称夹住，单
色一次染成。

上篇图 51　元代大袖袍的夹缬内襟衬里（采自郑巨欣著《中华锦绣——浙南夹缬》）

　　上篇图51为国外私人收藏的"元代大袖袍"，此大袖袍的内襟衬里系单彩蓝白色花卉纹夹缬。虽然纹样部分褪色较为严重，但仍可看到浅色的花卉及蓝色的枝蔓图案，或还有鸟纹。染色时，首先将织物折叠后夹持于两版之间，采用浸染法染出红色的地，而后采用注染法分别染出浅色的花卉、蓝色的枝蔓或者鸟纹部分的图案。这是迄今能见到的唯一元代夹缬实物。

上篇图 52　明代花卉蔬果五彩夹缬绢包袱

上篇图 53　明代鱼戏莲五彩夹缬绢包袱

上篇图52为北京故宫博物院藏，明代"花卉蔬果五彩夹缬绢包袱"。此物，纵55.5厘米，横56厘米。蓝地上的图案有瓜、石榴、萝卜、茄子、茶花等蔬果，有蓝、白、红、黄、橘黄等色。染色时先浸染蓝色，然后再分别注染其他诸色。

上篇图53为北京故宫博物院藏，明代"鱼戏莲五彩夹缬绢包袱"。此物，纵50厘米，横55厘米，以白色素绫为本，未染地色，并蒂莲花纹样，莲花间有两条造型生动的金鱼作穿梭游戏状。莲花、鱼为浅红色；莲的枝叶、莲蓬

上篇图54 明代吉祥杂宝五彩夹缬绢包袱

有绿、蓝两色。纹样以对折印渍痕为中线,左右对称。

上篇图54为定陵出土的明代"吉祥杂宝五彩夹缬绢包袱"。此物,纵55厘米,横44厘米,地色为蓝色,八宝图案。

四、蓝印花布

蓝印花布是指以蓝草中提取的靛蓝作染料,用石灰、豆粉等合成灰浆做防染浆,采用刮浆印染的方式染蓝,以朴实、纯真,色调和谐的蓝白之美闻名于世的印染工艺产品。其工艺原理属于物理防染技术,即以浆料防住染液，得到蓝地白花或白地蓝花的效果。其中蓝地白花者为阴印，白地蓝花者为阳印，花印布之正者为正印，两面均印者为双印。比之其他染缬，蓝印花布的制作成本是最为低廉的，但因其非常实用，又不失艺术性的感观，所以自出现后很快便成为民间最受欢迎的一种印染布料，以致在各地有着不同的俗名，如江苏称为"药斑布"，东北称为"麻花布"，湖北称为"豆染布"，福建称为"型染"，山东称为"猫蹄花印"等，可见其流行地域之广。

1. 蓝印花布的起源和流变

关于蓝印花布起源，染织史学界根据古籍《古今图书集成·职方典》的记载："药斑布出嘉定及安亭镇，宋嘉定中归姓者创为之。以布抹灰药而染青。"同书"松江"条称："药斑布俗名浇花布，今所在皆有之。"基本认同起源于南宋的"药斑布"，并归纳总结了这项新工艺之所以在这个时期出现的几个重要原因。

　　一是蓝印花布是在已有娴熟的绞缬、蜡缬和夹缬工艺基础上衍生出的一种工艺，"三缬"为蓝印花布染色奠定了技术基础。利用"三缬"工艺都可染出蓝印花布，而在它们的工艺中都可见到"板"的身影。如：夹缬工艺是用两块雕镂相同的图案花版，将布帛对折紧紧地夹在两版中间，利用花版防染。在蜡染工艺中为节省成本和批量生产，有用两片镂空木版夹布，熔蜡后灌于镂中形成防染效果，最终印染成蜡染花布的范例。在绞缬工艺中也有绑绞小木板呈现花纹的方法。

　　二是拓本印刷工序启发了蓝印花布刮浆防染工序。拓印是中国的一种传统技艺，至迟在春秋期间就已普遍采用，其本质是凹版印刷技术。在古代，印染制版和雕版刻字是互相交融的一个行业，朱熹《晦庵先生朱文公集》列举贪官唐

仲友的罪状，就有他利用官钱雕版印刷赋集之时，又支官钱
"乘势雕造花板印染斑缬之属，凡数十片，发归本家彩帛铺
充染帛用"的记述。因此，凹纹印花促进了拓印的产生和发
展，拓印反过来又促进了缬版技术的发展。

三是剪纸方法为蓝印花布花版制作提供了纹样基础。
新疆吐鲁番高昌遗址曾出土北朝时期的对马团花剪纸残片，
说明剪纸技法时间远远早于蓝印花布。而剪纸与蓝印花布花
版的造型有着极其相似的地方，如蓝印花布的蓝底白花或白
底蓝花花版，类似于剪纸中的阴刻和阳刻。蓝印花布花版的
制作，从逻辑关系上看极可能源于剪纸艺术的启发。

四是灰浆防染印花工艺为蓝印花布的灰浆合成提供了
可资借鉴的物料条件。早在唐代灰浆防染即已出现，当时
所用灰浆由石灰、草木灰等制成，而后世蓝印花布的防染
浆则是由豆粉等制成。

五是宋代染缬禁令催生了蓝印花布工艺。宋代几次颁布的染缬禁令，加速了工艺相对复杂、成本高昂的"三缬"衰败。而蓝印花布属纸版漏浆，工艺相对简便，材料获取便利，且能染出不逊于"三缬"的花型，满足了民间大众的物质需求和精神追求。

到了明清时期，随着棉织布彻底取代麻织布成为大众最主要纺织品后，棉质蓝印花布，因其蓝白相次，蓝得浓烈，白得纯洁，花纹轮廓整饬划一，线条朴拙醒目，图案吉祥喜庆的特点，在民间广为盛行。此时，生产蓝印花布的作坊散布各地，工艺技法得到了多层次、多方位的发展，形成了较完善的工艺体系。文献记载，旧时在山东、江苏等蓝印花布发达地区，有专门以镂雕花版出售为生的匠作坊和艺人。平整蓝印花布的专业踹布房，数量惊人，往往聚而为之，并尤以江南的苏州地区为盛。康熙五十九

上篇图 55　清代晚期的土法踹布

年（1720年）仅苏州一带地区从事踹布业的人数就不下万余；雍正八年（1730年）仅苏州阊门一带就有踹坊450余处，踹石1.09万余块，每坊容匠各数十人不等。至清末时，蓝印花布曾创下年产60万匹的生产量。产地有江苏、浙江、湖南、山东、河南、河北、四川、山西、陕西以及东北各省等，并各自形成了独特的风格，其中以江苏、浙江最具特色。另据清代褚华《木棉谱》记载，当时踹布采取的工艺方式是将织物卷在木轴上，以磨光石板为承，上压光滑元宝形大石，重可千斤，一人双足踏于凹口两端，往来施力踏之，使布质紧薄而有光。（上篇图55）

2. 蓝印花布的工艺

蓝印花布的工艺可大致分为：制作油纸板、在纸板上构图、花版制作、刮防染浆、染色、晾晒刮灰、清洗晾晒、平整等几道工序。

制作油纸板：挑取几张皮纸或宣纸，用面糊一张张刷裱在一起，在墙面或板面晾干后撕下，把四边裁齐后刷一层桐油或柿油，以增强防水性能，待干后压平使用。制后的纸板厚度以2毫米为宜。

在纸板上构图：在构图时为保证型版的完整性，首先要考虑纹样的特点，不致因线条过细而断裂，或因刮浆时线条浮动而漏浆，应尽可能多地用连接线分隔较长的线条。图案构思好后，即可用黑笔在纸板上绘出。如果有现成的母版，可用母版直接将图案印在纸板上，这种方式业内的行话称为"替版"。

上篇图 56　蓝印花布花版

　　花版制作：用专门的刻刀按照设计的图案稿将图案刻成镂空的刻版。刻后，先用卵石将花版打磨平整，然后再反复多次地正反面刷熟桐油。刷桐油时，油量要适当，刷油过多，花型容易变样，或造成花版不平；刷油少了，不能充分渗透纸芯，花版牢度不够，耐水性差，使用次数会减少。因此，第一次刷油时，油量要少而薄，待干后再刷。刷好油的花版，阴干压平后即可使用。一般来说，印蓝地白花只需制作一块花版即可，印白地蓝花则需制作两块分别称之为"头版"和"盖版"的花版。（**上篇图56**）

刮防染浆：防染浆料可用黄豆粉、玉米粉、小麦粉、糯米粉等加石灰制成，以黄豆粉浆效果最佳。刮浆时，蓝地白花因只用一张花版，只需先将准备好的布料平铺于这张花版下，用重物将其压住固定，防止在刮浆过程中移动。之后将花版压置于布料上方，用牛角或木板做好的抹子，将浆均匀地刮在花版的镂空处，使浆黏附在布料上。白地蓝花因要用两张花版，所以要经过两次刮浆。先刮头版浆，刮好后，取下头版，待布料上的浆处于半干半湿状态时，将盖版对准图案位置，压置在已上浆的布料上，进行第二次刮浆。通常在刻版时，有经验的刻版师傅会在头版和盖版上各刻一个两版"对位"的记号，以方便刮浆时对准花型。在刮浆过程中要注意浆的厚薄要适中，不可过薄，亦不可过厚。过薄，浆易散开，造成渗浆，会使花型边缘不清晰；过厚，浆则不易完全渗入到花型各处边角，使花型不完整。

　　染色：染色前，先将刮上浆的布松开放在清水中浸泡，待布浸湿到浆料发软后，即可下缸染色。染液可用蓼蓝、菘蓝、马蓝等制成的蓝靛，以蓼靛为佳。缘由是蓼蓝本身具有除虫清毒之药效，其汁所染之布，蚊、虫避之。李时珍《本草纲目》曾介绍如果被毒箭所伤，一时找不到草药，可"以青布渍汁"，吸其汁解毒。因靛蓝一般都是常温染色，洗后有少量的浮色，如要达到所需的颜色要求，染色时需多次反复入缸浸染。

　　晾晒刮灰：染好后，先把布挑出，置于染缸上沥干，再拿到室外置于晒布架上晾晒。染布时最好选择晴天，若遇上黄梅天无法及时晒干，染色布容易发霉。布晾干后，把布绷在支架上，用刮灰刀刮去布料表面上的灰浆。

　　清洗晾晒：布经刮灰后需要清洗2—3次，以清除残留

上篇图 57　晾晒蓝印花布

在布面上的灰浆及浮色，再用长竹竿将湿布挑到7米高的晒架上晾干。（**上篇图57**）

　　平整：清洗晾干后用踹布石将布滚压平整，折叠或卷成布匹待用。

　　3. 蓝印花布文物赏析

　　蓝色的张扬，白色的耀眼，不落凡俗的秀气，不失明快的典雅，刮灰染色形成的自然纹理，满满都是故事情节的图案，是组成蓝印花布的几个重要元素。这些元素映衬出的朴拙韵味，无不彰显出蓝印花布独特的文化魅力。遗憾的是因棉布不耐侵蚀，迄今能看到的实物大多是明末和清代的，早期的还未发现。下面对上海闵行博物馆所藏的三条明代蓝印花布被面，以及南通蓝印花布博物馆所藏几件明清蓝印花布做些简单介绍。

上篇图58、59、60分别为上海闵行区马桥镇出土的菱形骨骼图、人物庭院图、对弈庭院图被面。虽然这三幅被面的纹样破损严重，但从中仍可窥见其原貌的精致。

"菱形骨骼图"被面，长194厘米，宽162厘米，三幅拼接，图案相同，每幅宽52厘米。在菱形方格内有花草、凤鸟、狮子滚绣球等花纹。被面上下各留宽36厘米的蓝色空间，其下为凤戏牡丹、菊花边饰。主题图案为连续菱形方格，正中心四格为一组，上下格内各印一只凤穿牡丹图。上格凤首朝下，尾上扬弯曲呈圆弧形；下格凤首朝

上篇图 59　明代人物庭院图被面（局部）

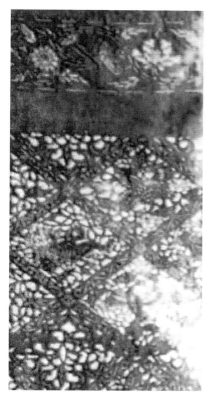

上篇图 58　明代菱形骨骼图被面（局部）

上篇图 60　明代对弈庭院图被面（局部）

上，双翅舒展。左右方格内各印一只在花丛中滚绣球的狮子。左边狮子蹲踞，左爪踩绣球上；右边狮子作奔跑状，前爪抓住绣球。周围格内另有一些花卉纹。整体图案排列有序，曲直对比，造型饱满，蓝白相间的点、线、面处理得充满节奏。如此繁复细密的满地花纹可能是通过一套版刮印而成。

"人物庭院图"被面，长192厘米，宽127厘米，三幅拼接成一幅完整的被面图案。被面上下分别留有33厘米和31厘米的蓝色空间，四边框饰花鸟、狮子滚绣球图案。上部边框下一横排三个开光，内绘花鸟折枝纹。主体图案中部有高大的松树和芭蕉树，之间庭院回廊，树下两个贵妇坐在回廊的榻椅上聊天。两人皆发髻高盘，戴发簪、额带饰、耳坠等首饰，身着华丽服装，肩披霞帔，旁边各有一侍从。画面左侧为山峦、树木、亭阁、庙宇，崎岖小路从山上弯曲而下，路上有一骑马的官人和两个挑行李步行的侍童。整个画面表达了岁月静好，妇人耐心等待官人回家的故事。另从被面的正面观察，图案纹口线条十分清晰流畅，说明刮糊手法熟练，且糊料干湿及厚薄度配比得当。从背面观察，发现所刮糊料还具有良好的渗透防染性，没有发现明显的冰裂纹，可能是用黏性较大的糯米灰浆，采用两套版刮糊工艺。

　　"对弈庭院图"被面，长205厘米，宽164厘米，上下留有37厘米和41厘米的蓝色空间。图案为远山近水庭院人物，主体是两人对弈庭院，两边各立几名侍女。庭院内回廊和曲径，与假山石、溪水、花卉、芭蕉及杂树相互交错。院外连绵起伏的山峦背景，以大面积留白表现。采用的灰浆和工艺与"人物庭院图"被面相同。

　　上篇图61为清代"凤戏牡丹图"被面的纹样复原图。

凤是百鸟之王，牡丹是百花之王，以纤细灵动的凤结合静态圆润的牡丹形成的造型图案，既有富贵吉祥寓意，也是阳气腾跃、幸福和谐的象征，是国人最喜爱的传统吉祥纹样之一，被广泛用于各类纺织品、瓷器、木器等日常用品的装饰图案中。该被面的凤戏牡丹图案，造型简朴，线条细腻，蓝白分明。

上篇图62为清代"麒麟送子图"被面的纹样复原图。麒麟是中国民间传说中的仁义神兽，早在周代就与龙、凤、龟并称"四灵"，且列"四灵"之首，是太平、吉祥的象征。民间传说麒麟出没处必有祥瑞，会给那些积德而无子嗣的人家送来聪颖可爱的男孩，使这些家庭繁荣昌盛，子孙万代，以至在旧时儿女婚嫁准备的喜庆用品中，常可见到蓝印花布"麒麟送子"的被面。该被面的主体图案，围裹在花窗中，既突出了主体，又显得动静宜人。

上篇图 61　清代凤戏牡丹图被面纹样复原图（采自吴元新编著《中国蓝印花布纹样大全》）

上篇图 62　清代麒麟送子图被面纹样复原图（采自吴元新编著《中国蓝印花布纹样大全》）

上篇图63为清代"富贵平安图"包袱布。该纹样中有菊花、富贵花、宝瓶等图案，分别寓意长寿、富贵和平安。构图的方式是：四边形花窗框里，堆填圆形菊花和飘逸的枝叶；花窗的中心，用盛开的花卉与宝瓶相伴；四周再用八朵圆形的富贵花围绕。整体造型非常有特点而且新颖，将富贵平安寓意表现得淋漓尽致。

上篇图64为清代"金鱼戏莲图"包袱布。鱼的造型在蓝印花布中随处可见，常用的有"吉庆有余""鲤鱼跳龙门"等。鱼在民间生殖崇拜观念中，象征繁殖力强、多子多孙，所以在婚俗图案中，鱼的形象经常出现。"金鱼戏莲"图案包袱布多应用于陪嫁时包裹物品。

上篇图65为清代"五福捧寿图"包袱布纹样复原图。"五福捧寿"图案也是国人最喜爱的传统吉祥纹样，所谓的五福，是指寿、富、康宁、好德、善终。蝙蝠之"蝠"

上篇图 63　清代富贵平安图包袱布（采自吴元新、吴灵姝著《中华锦绣——南通蓝印花布》）

上篇图 64　清代金鱼戏莲图包袱布（采自吴元新、吴灵姝著《中华锦绣——南通蓝印花布》）

上篇图 65　清代五福捧寿图包袱布纹样复原图（采自吴元新编著《中国蓝印花布纹样大全》）

与"福"字同音，故以五蝠代表五福。用五蝠围一"寿"字或一寿桃构成的图案，习俗称"五福捧寿"，寓意多福长寿。该包袱布图案，风格古朴，花纹结构严谨，布局穿插得当，点、线、面刻画细腻，十分耐人寻味。

上篇图66为清代"八仙过海、三星高照"帐檐的纹样复原图。该帐檐图案由独立的左、中、右三幅神仙人物图构成，左右两图为"八仙"，中图为"三星"。"八仙"

上篇图66　清代"八仙过海、三星高照"帐檐纹样复原图（采自吴元新编著《中国蓝印花布纹样大全》）

是民间流传甚广的道教中惩恶扬善、抑富济贫的八位神仙。脍炙人口的"八仙过海，各显神通"的故事，便是讲这八位神仙为王母娘娘祝寿途中，各自使用自己的法宝，克服困难渡过大海的事情。"三星"指福星、禄星、寿星三个神仙。将"八仙"和"三星"整合在一个画面中，看似有些不搭调，实则寓意，只有人尽其能，人显其才，生活才能三星高照，吉祥如意。整个画面对各位神仙的刻画，既生动活泼，又神态各异，体现了民间刻版艺人对人物造型的掌控能力和刀法技巧。

下篇

色染秋烟碧——染之技艺

　　追求自身美和显示自身在社会群体中的位置，是人类的天性，所以从出现用于御寒蔽体的织物起，人们就开始尝试用不同色彩、不同图案的织物来表达自己的爱好、思想以及社会地位。在古代的调色板上，用于施色的材料有矿物颜料和植物染料两类，以植物染料染色为主流，染色技术也是围绕这些植物染料的性质而形成，且在很长时间内也没有什么实质性的大变化。而大量色彩斑斓的纺织品文物，则为我们呈现出古代植物染色技术水平所达到的惊人高度。

一、植物染的出现

1. 最先使用的施色材料——矿物颜料

　　根据现有资料，大自然中有一些容易得到，不经复杂处理就可直接使用的矿物颜料，如赤铁矿和朱砂。赤铁矿又称赭石，在自然界分布较广，主要化学成分为三氧化二铁（Fe_2O_3），呈棕红色或棕橙色，用其涂绘，稳定持久，但色光黯淡。朱砂，又称辰砂或丹、丹砂等，主要化学成分为硫化汞（HgS），具有纯正、浓艳、鲜红的色泽和较好的耐光色牢度。先民除用它们涂绘饰物外，还出于对太阳、火或血液的崇拜，将它们作为殉葬物放于墓中。在北京周口店山顶洞人遗址中曾发现赤铁矿粉末和用赤铁矿施色的饰物；在新石器时代晚期的青海乐都柳湾马家窑文化墓地亦曾发现一具男尸下撒有朱砂。说明赤铁矿和朱砂是最早利用的两种施色材料。

2. 植物染料是如何被发现的

用植物材料染色，无论从考古资料和文献材料两个方面看，都要晚于矿物。但据传说始于轩辕氏之世，因为在许多古文献中都载有"黄帝制玄冠黄裳，以草木之汁，染成文采"。黄帝时代距今五六千年，考古资料表明，该时期农业生产已非常发达，产生草染技术是完全可能的。参考矿物颜料的使用情况，当时似乎确已开始使用植物染料染色，选用的植物，应该是一些可以直接上染属直接染料的植物，种类不会很多。因没有考古资料做佐证，只能做些推测，毕竟染料植物来源丰富，容易得到，施色牢度远胜矿物颜料，人们不可能不注意和利用它。

草木的色素隐藏在植物的根、枝干、叶或花果中，先民是如何发现它们可作为施色材料利用的？现有多种说法：

一是直观的原始发现。先民出于对自然界红花绿叶本能的喜爱，将它们采摘下来渍出汁染于织物上。

二是食用过程中发现。神农氏"尝百草之实，察酸苦之味，教民食五谷"的传说，反映了农业生产的发现是经过了尝草察味的实践过程。先民们在这一实践过程中，发现了一些草木所含的色素。

　　三是制药过程中发现。据传草药的发现者也是神农氏，他在"尝百草之实"的过程中发现，水煎草药时可得到浓而鲜艳的色汤，故极有可能做染料使用。

　　四是利用香料过程中发现。古代很早已利用香料植物，如"其根芳香而色黄"的郁金，周代酿酒时用郁金和之，则酒香而黄。

二、植物染技术的成熟和大发展

1. 夏商周时期的色彩

　　虽然在新石器时代即已出现使用植物染料的迹象，但自夏商之时，才有文字记载一些染料植物已开始大规模人工种植。夏代流传下来的《夏小正》一书，除记载了一年12个月的物候、气象、星相外，还记载了有关农事生产

下篇图 1 西周方格彩罽　　　　下篇图 2 战国菱格凤鸟纹绣

方面的重要事项，其中蓝草种植便是一项。及至周代，植物染色出现了一套比较完整的工艺，逐渐成为主要的染色方法，并发展成一个独立的手工专业。其时，染料植物无论是在品种、数量，还是在染色技术上，较之以前均有质的飞跃。为此，周代专门设置了染草的管理机构和官员。

春秋时期，植物染色成为染色的主流方法，诸如直接染、套染、媒染等草染工艺均已出现，并运用娴熟。（**下篇图1、2**）不过当时因染料植物贮藏技术尚不成熟，染色受季节的影响非常大。现有据可考用量较大的染料植物有：蓝草、茜草、紫草、荩草、皂斗等。出现的仅糸旁的特定色彩文字便有红、紫、绛、绀、缘、绯、缥、缁、缇、缅、綦等十余个。

　　色彩文字的丰富，对特定颜色的命名，意味着染色操作流程的高度规范化，并普遍采用可比对色泽的标准色标。规范化方面，表现为《周礼·天官·染人》所记："染人掌染丝帛。凡染，春暴练，夏缥玄，秋染夏，冬献功。"这就是说：丝帛染色的事情由专职的染人负责。无论染什么颜色，都要根据季节来安排。即春天的时候，因大地回暖，气候温和，适宜各种户外生产。此时进行染色的第一道工序——丝、麻漂练，不会因气温过低影响生产和操作，也不会因日照太强损伤纤维品质。夏天的时候，要重点染制玄、缥二色。因这两色除作祭服之色外，还是帝王、诸侯、卿大夫的六冕之服的服色，系国之重色，需求量最大，在漂练完成后应首先生产。秋天的时候，重要

下篇图 3　白腹锦鸡

下篇图 4　黑长尾雉

下篇图 5　环颈雉

的玄、缥二色染完之后，就可以染制其他的五颜六色了。色彩标准化方面，选用翚、鷩、鹭、鸐、鹨、鸥、寿鸟等几种鸟的羽毛颜色作为色彩标准，其中"翚"可能是白腹锦鸡（下篇图3）；"鸐"可能是黑长尾雉或黑颈长尾雉（下篇图4）；"鹭"可能是环颈雉（下篇图5）；而鸐、鹨、鸥、寿鸟等是什么鸟，现已很难考证出来了。

2. 秦汉时期的色彩

秦汉时期，染色技术继承先秦的传统并得到进一步发展，尤其是这一时期的染色色谱，随着染料植物品种的增加，得到迅速扩展。据统计，仅湖南长沙马王堆一号汉墓和新疆民丰东汉遗址就出土了大量五光十色的丝、绣、麻、毛织品，颜色计有朱红、深红、大红、米红、深蓝、浅蓝、藏青、天青、深棕、浅棕、深黄、浅黄、橙黄、金黄、叶绿、油绿、翠绿、绛紫、茄紫、银灰、粉白、黑灰、黑等三十余种，充分展示了汉代染色技术的水平和当时染匠谙练的浸染、套染及媒染技巧。另外，各种色调的专用名词也有了显著增加，其中红色近似调有：红、缇、然、绯、绛、纁、绌、绾、绮、絑、纂；橙色近似调有：缇、缘；黄色近似调有：郁金、半见、蒸栗、缃、绢；绿色近似调有：绿、翠、缥、緥；青色近似调有：青、缥、绡、繐；蓝色近似调有：蓝、缃；紫色近似调有：紫、绀、缲、缌；黑色近似调有：缁、皂、纔；白色近似调有：纨、缚、纤、缫。如此多的色彩和专用名称，不仅表达出当时人的审美意识和人文情感，更反映出当时染色技术所取得的成就以及人们对色彩永无止境的追求。（**下篇图6、7**）

汉代染匠为染出上述甚至更多的稀、奇、古、怪、偏的颜色，所用的染具可从文献记载和出土文物窥知一二。在《秦汉金文录》卷四中，记载有"平安侯家染炉"全形拓片，该染炉上的铭文是"平安侯家染炉第十，重六斤三两"。在《陶斋吉金录》卷六中，记载有"史侯家铜染杯"铭文拓片，其上铭文是："史侯家染杯第四，重一斤十四两"。有专家认为此染炉、染杯系染色之用的染具。这两件染具，器形均不大。平安侯家染炉高才13.2厘米，

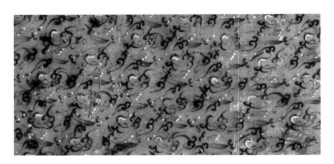

下篇图 6　西汉印花敷彩纱

下篇图 7　西汉变体云涡纹彩色印花绢（复制）

长才17.6厘米（**下篇图8**）；史侯家染杯才合今500克左右，显然不能用于染大量的布帛，只能染一些小把丝束或线束。因此这些小型染具的作用，一是用于染大量布帛前的试染，再就是染一些供刺绣、织成之用的少量特殊颜色的绣线。1954年广西贵县（今贵港市）东湖汉墓出土了一

下篇图 8　平安侯家染炉

下篇图 9　东汉五俑三眼红陶灶

个五俑三眼红陶灶（**下篇图9**），其灶上有三眼，分置釜、
双耳锅和甑各一件，二俑在旁操作。一俑呈正从中间锅内
捞出染布状；一俑呈正往釜里投放物体状。陶灶左右两侧
下方则各有一缸一俑，两俑皆呈双手向缸内舀水状。专家
认为这是一个染坊的明器。

3. 唐宋时期的色彩

唐宋时期，植物染料品种更加丰富，在植物染料的栽培、制作加工、染料色素的提纯、媒染剂的使用等方面都有长足的进步。据统计，此期间见于记载的染料植物品种增加到了三十多种，唐诗宋词中出现的各类颜色词更是不胜枚举。以南宋黄昇所编《花庵词选》一书为例，书中出现的颜色词按色调可分为六类，即红色调、紫色调、黄色调、蓝绿色调、白色调和黑色调。其中：

红色调类包括：红、朱、赤、绛、绯、赭和丹。形容这些色调的彩度与明度状态的词有：红紫、残红、红粉、春红、露红、新红、浅红、小红、轻红、繁红、娇红、青红、红白、红黛、高红、冷红、老红、暖红、早红、斑红、猩红、湿红、红碧、翠红、红绿、落红、凝红、红艳、碎红、慵红、乱红、腮红、卧红、抹红、油红、飞红、朱紫、赭黄、丹青、丹霞等。

　　紫色调类包括：紫、绀。形容这些色调的彩度与明度状态的词有：翠紫、紫金、紫青、紫烟、紫云、紫翠、红紫、朱紫、绀碧等。

　　黄色调类包括：黄、金。形容这些色调的彩度与明度状态的词有：赭黄、草黄、郁金、蜂黄、淡黄、莺黄、鹅黄、柳黄、深黄、金黄等。

　　蓝绿色调类包括：蓝、绿、青、苍、翠、黛、碧。形容这些色调的彩度与明度状态的词有：草绿、水绿、新绿、翠绿、凝绿、柳绿、小绿、颜绿、绿云、嫩绿、蛾绿、润绿、草青、青蛾、青红、山青、青葱、青柳、青钱、青烟、青灯、青玉、青丝、丹青、青荧、初青、青羽、苍烟、苍茫、苍崖、苍璧、苍玉、苍藓、苍颜、苍苔、翡翠、岫翠、凝翠、小翠、紫翠、残翠、翠璧、翠红、暖翠、紫翠、翠黛、粉黛、水碧、碧天、草碧、浅碧、澄碧、红碧、晴碧、青碧、金碧、深碧等。

白色调类包括：白、素。形容这些色调的彩度与明度状态的词有：白浪、花白、白云、白露、白沙、白璧、白雪、白银、白日、月白、素玉、素白等。

黑色调类包括：黑、墨、乌、玄。形容这些色调的彩度与明度状态的词有：乌夜、乌云、乌木、玄黄等。

在《花庵词选》全书二十卷中，前十卷选唐宋诸贤之词，始于李白，终于北宋王昴，凡一百三十四家，附方外、闺秀各一卷；后十卷选中兴以来各词家之词，始于康与之，终于洪蚡，凡八十八家，附黄昇自作词三十八首，共录词七百五十余首。唐诗宋词中的这些颜色词，直接或间接地反映出唐宋时期人们的价值观、审美观等方面的文化心理现象以及对各种色调的分辨水平。毕竟唐诗宋词如

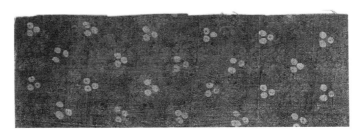

下篇图 10　唐代小点花套色印花绢

下篇图 11　南宋烟色牡丹花罗背心

今之流行歌一样，不仅传唱于宫廷和文人士大夫间，也流行于街巷市井小民之口。（**下篇图10、11**）

4. 元明清时期的色彩

元、明、清三代，植物染色技术无论是染料植物品种数量，还是染料植物的制取保存、媒染剂的使用、色谱的扩展等各个方面，在继承前代已出现的技术或经验基础上，另有一些值得注意的创新和进步，同时期大量文献资料的记载，翔实地展示出其时植物染料染色技术繁荣发达的图景。

染料植物品种方面，李时珍《本草纲目》中记载了五十余种染料植物，直接写明可染色的植物有三十多种。

染料植物制取和贮藏方面，工艺愈加实用。以红花为例，魏晋时，由于制红花饼技术尚未过关，经常发生霉变，故《齐民要术》不主张在"染红"时用饼。到明代时，开始在制红花饼过程中加入有杀菌防腐作用的青蒿，防止了红花饼霉变，大大延长了红花染料的存放时间，也使红花染色不再受季节限制，故而在《天工开物》里有红花"染红"必用饼之说。

　　媒染剂使用方面，元末明初成书的《多能鄙事》卷四"染色法"记有：染小红、染枣褐、染椒褐、染明茶褐、染暗茶褐、染艾褐、染荆褐、用皂矾法、染砖褐、染青皂法、染白皂法、染白蒙丝布法、染铁骊布法、染皂巾纱法等。其中"染小红"包含了拼染、套染和媒染等多种染色工艺；"染明茶褐"和"染荆褐"则采用了明矾预媒、绿矾后媒的多媒染色工艺。宋应星《天工开物》卷三"彰施"篇记载了十三种常用植物染料和二十七种色调染法，其中属媒染染料的有苏木、乌梅、黄栌、槐、栗、莲，媒染得到的色调有木红、紫色、金黄、茶褐、大红官绿（深、浅）、油绿、包头青色。

　　色谱扩展方面，经大致统计，在《本草纲目》《天工开物》《天水冰山录》《蚕桑草编》《苏州织造局志》《扬州画舫录》六书所载织物色泽及染色名目中，红色调计有赤、红、朱、绛、绯、紫赤、赭红、铁朱、猩红、赤红青、大红、莲红、桃红、水红、木红、暗红、银红、西洋红、朱红、鲜红、浅红、粉红、淮安红等，黄色调有黄、金黄、嫩黄、蛾黄、柳黄、明黄、赭黄、雌黄、牙黄、谷黄、米色、沉香、秋色、杏黄等，绿色调有绿、碧、黛、官绿、草绿、油绿、豆绿、柳绿、墨绿、砂绿、大绿、鹦哥绿、绿青、黑绿、空绿、石绿等，蓝色调有蓝、天蓝、翠蓝、宝蓝、石蓝、砂蓝、葱蓝、湖蓝、湖色等，青色调有青、天青、元青、赤青、葡萄青、蛋青、淡青、包头青、雪青、石青、真青、白青、青白、碧青、回青、大青、青碧、曾青、佛头青、杨梅青、太师青、沔阳青、波斯青黛等，紫色及褐色调有紫色、茄花色、酱色、藕褐、古铜、棕色、豆色、沉香色、鼠色、茶褐色等，黑白色调有黑、乌、皂、玄色、黑青、白、月白、象牙白、草白、葱白、银色、玉色、芦花色、西洋白等。《扬州画舫录》卷一说，这些色调有以地命名的，如淮安红、沔阳青；有以形色定名的，如嫩黄似桑初生，蛾黄似蚕欲老，杏黄为古兵服；有以其店之缸命名的，如太师青即宋染色小缸青；有依习惯命名的，如玄青，玄在缁缃之间，合青则为飖飖。实际上当时染色所得的色谱远远不止于此，以至张謇在《雪宧绣谱》中说：以天地、山水、动物、植物等自然色彩，深浅浓淡结合后，可配得色调704色。如此多的色彩，特别是在一种色调中明确区分出多层次的几十种近似色，要靠熟练地掌握各种染料的组合、配方及工艺条件方能达到。

另据褚华《木棉谱》记载："染工。有蓝坊，染天青、淡青、月下白；红坊，染大红、露桃红；漂坊，染黄糙为白；杂色坊，染黄、绿、黑、紫、古铜、水墨、血牙、驼绒、虾青、佛面金等。"由此可见染坊因所染之色而得名，不同的色调基本上都是分别由不同染坊所出。当时染必用灶，染坊用灶加热染液已是非常普遍的工艺。（下篇图12、13、14、15）

下篇图 12　元代红地印花绢

下篇图 13　明代圆金地鸾凤纹缂丝团补

下篇图 14　清代孔雀开屏粤绣

下篇图 15　清代晚期的土法染布

三、植物染料的种类

古代见于文献著录的染料植物有五十多种，下面根据一些重要染料植物施染后所得的主色调，分黄、红、蓝、紫、绿、黑六类做些介绍。

1. 黄色调染料植物

在众多的染料植物中，可以染黄的植物是最多的，现知见于文献著录的就有十多种，如荩草、栀子、黄檗、槐

下篇图 16　荩草

米、地黄等。

荩草（**下篇图16**），古代又名菉竹、绿竹、王刍、戾草等。禾本科一年生细柔草本植物，叶片卵状披针形，近似竹叶，生草坡或阴湿地。其被用于染色的历史非常早，《诗经》中便有多处与荩草有关的诗句。如《卫风·淇奥》："瞻彼淇奥，绿竹猗猗。"《豳风·七月》："八月载绩，载玄载黄。"《邶风·绿衣》："绿兮衣兮，绿衣黄里。""绿兮衣兮，绿衣黄裳。"《小雅·采绿》：
"终朝采绿，不盈一匊。"这些内容，一方面说明春秋时
期利用荩草染黄或绿的技术已十分成熟；另一方面则说明
当时荩草还没有人工种植，由于使用量非常大，采集荩草
的人太多，以致一人早晨所采还不够双手一捧。

荩草的茎叶中含有黄酮类化合物荩草素。一般来说黄
酮类化合物可直接浸染织物使之着色，亦可在染液中加媒
染剂后使织物着色。荩草液直接浸染丝、毛纤维可得鲜艳
的黄色，与靛蓝复染可得绿色。从荩草又名绿来看，古代
多用它与蓝草复染进而得到绿色。

栀子（**下篇图17**），茜草科栀子属常绿灌木，多生长
于我国南方和西南各省。秦汉时期，栀子是应用最广的黄
色染料。当时因野生栀子不敷需求，开始大面积人工种
植，司马迁《史记·货殖列传》载"千亩卮茜，千畦姜

下篇图 17　栀子

韭：此其人皆与千户侯等"，反映了汉初栀子种植的规模、获利丰厚之程度以及用栀子染黄之普遍。长沙马王堆一号汉墓出土的多种深浅黄色纺织品，经多种手段进行分析和测定，发现有一些即为用栀子染液直接或加入媒染剂染制而成。

　　栀子果实中含有黄酮类栀子素、藏红花酸和藏红花素，用于染黄的色素是藏红花酸。入染的栀子经霜时采取，以七棱者为良。栀子色素的萃取方法是：先将栀子果实用冷水浸泡一段时间后，再把浸泡液煮沸，色素即溶于水中。制得的染液可直接染黄，也可加入不同的媒染剂，以得到不同的黄色调。未加媒染剂染出的黄色为嫩黄色，加铬媒染剂染出的黄色为灰黄或橄榄色，加铝媒染剂染出的黄色为艳黄色，加铜媒染剂染出的黄色为微含绿的黄色，加铁媒染剂染出的黄色为黝黄色。

　　黄檗（**下篇图18**），又名黄柏、黄柏栗，属芸香科落叶乔木，主产于东北和华北各省，河南、安徽北部、宁夏也有分布。其材质中富含的小檗碱，属碱性染料，经过煎煮以后，可以用于染色。它可能是中国古代所应用的染料

下篇图 18　黄檗

下篇图 19　槐米

植物中唯一的碱性色素染料。

　　槐米（**下篇图19**），系国槐树上所结花实。国槐树是豆科槐属的落叶乔木，有槐树、槐蕊、豆槐、白槐、细叶槐、金药材、护房树、家槐之别称。因槐花蕾形似米粒，所以又称槐米。早在周代，槐树就已被人们关注，不过槐米染黄的记载直到唐代才出现。自宋代开始，槐米是主流黄色染材之一，此时槐米染料的加工，也因为认识到花蕾色素含量较花开放后要多的现象，分档使用花蕾和花朵现象更为普遍，并制作槐花饼以便于贮存，供常年染用之需。

槐米的色素成分是黄色槐花素及芸香苷，花蕾中含量较多，花开放后便减少。这种色素属于媒染染料，可适用于染棉、毛等纤维。用明矾媒染可得草黄色，如再以靛蓝套染可得官绿；以绿矾媒染则得灰黄色。槐黄因为染色色光鲜明，牢度良好，是黄色植物染料的后起之秀。清代皇袍的明黄色就是用它染成。

地黄（**下篇图20**），又名苄、地髓，玄参科草本植物，分布于辽宁、河北、河南、山东、山西、陕西、甘

下篇图 20　地黄

肃、内蒙古、江苏、湖北等省区。其根茎中含地黄素（又名地黄苷），可以染黄。《齐民要术》在"河东染御黄法"中详细记载了用地黄染熟绢的工艺方法，云："碓捣地黄根令熟，灰汁和之，搅令匀，搦取汁，别器盛。更捣滓，使极熟，又以灰汁和之如薄粥，泻入不渝釜中，煮生绢，数回转使匀，举看有盛水袋子，便是绢熟，抒出着盆中，寻绎舒张。少时，掠出，净捩，去滓，晒极干。以别绢滤白淳汁，和热抒出，更就盆染之，急舒展令均。汁冷，掠出，曝干，则成矣。……大率三升地黄，染得一匹御黄。"所述实际包含了制取地黄染料、漂练绢帛和染色三种工艺过程，灰汁在此工艺中既作精练剂，又作媒染剂，不仅节省原料，还大大缩短了漂练和染色时间。

2. 红色调染料植物

可以染红的染料植物有茜草、红花、苏枋、冬青、棠叶、虎杖等近十种，较为重要的是前三种。

茜草（**下篇图21**），茜草科多年生攀援草本植物，古代使用最广泛的红色染料，有茹藘、茅蒐、蒨草、地血、牛蔓等四十余种别名。在春秋两季均可采挖，以根部粗壮呈深红色者为佳。其中春季所采茜草，因成熟度不够，质量远不如秋季所采。茜草所染织物，红色中略带黄光，娇艳瑰丽，而且染色牢度较佳，是春秋期间最受妇女偏爱的颜色之一。《诗经》中有多处提到茜草和其所染服装，如《郑风·东门之墠》："东门之墠，茹藘在阪。"《郑

下篇图 21　茜草

风·出其东门》："缟衣茹藘，聊可与娱。"20世纪80年代，在新疆且末县扎滚鲁克一座断代为公元前1000—公元前800年的墓葬中，曾出土过一些呈红色深浅不一的毛织物，经分析，这些红色毛织物的染料成分均含有茜素和茜紫素，显然都是用茜草染成[1]，印证了先秦时期染茜工艺所达到的水准。西汉以来，开始大量人工种植，司马迁在《史记》里说，新兴大地主如果种植"千亩卮茜"，其收

---

① 解玉林、熊樱菲、陈元生等：《周一汉毛织品上红色染料主要成分的鉴定》，《文物保护和考古科学》2001年第1期，第1—7页。

益可与"千户侯等"。长沙马王堆汉墓曾出土很多茜染织物，如其中的"深红绢"和"长寿绣袍"的红色底色，经化验即是用茜素和媒染剂明矾多次浸染而成。

茜草根部含有多种蒽醌类化合物，其中主要色素成分是茜素、羟基茜素和伪羟基茜素。染色时如将织物直接浸泡在纯茜草液中虽也可使之着色，但效果不是很好，只能得到单一的浅黄色。所以染色时须先将茜草发酵水解，再施以铝、铁、铜等不同的金属媒染剂，便会得到从浅至深的十分丰富的红色色调。其中尤以铝媒染剂所得色泽最为鲜艳。

红花（**下篇图22**），古代又名黄蓝、红蓝、红蓝花、草红花、刺红花及红花草。菊科红花属植物，株可高达1.5米，叶互生，夏季开呈红黄色的筒状花。从考古发现来看，红花是人类最早利用的植物染料之一，约在距今

下篇图 22　红花

5000年之前，埃及已开始应用红花染料了。而中国利用红花的时间较晚，据考证，红花先经中亚传入我国西北地区，然后传入中原，传入时间应是在汉代张骞通西域后。《太平御览》引东晋习凿齿《与燕王书》曰："此下有红蓝，足下先知之不？北方人采取其花染绯黄，接其止英者做燕支。"表明至迟在晋代一些地方很可能已种植红花并作为染料使用。唐宋时期，几乎各地都有红花种植，其中唐代关内道的灵州、山南道的梁州、江南东道的泉州以及宋代福建路的兴化军，贡赋产品中都有红花。另据《闽部疏》万历十五年（1587年）序所记，明代用红花染红，以京口最为有名，当时福建因为"红不逮京口，闽人货湖丝者，往往染翠红而归织之"。

红花的花冠内含两种色素：其一为含量约占30％的黄色素；其二为含量仅占0.5％左右的红色素，即红花素。其中黄色素溶于水和酸性溶液，在古代无染料价值，而在现代常用于食物色素的安全添加剂。含量甚微的红花素则是红花染红的根本之所在，它属弱酸性含酚基的化合物，不溶于水，只溶于碱液，而且一旦遇酸，又复沉淀析出。中国古代染匠虽不了解红花色素的组成和化学属性，但文献中记载的提取红花素的工艺方法，却是和上述化学原理完全一致的。

苏枋（**下篇图23**），又名苏枋木，或苏木、苏方，属豆科常绿小乔木。苏枋原产东南亚和中国的岭南地区，但古代很多人都认为是外来植物，如李时珍《本草纲目》

下篇图 23　苏枋

说："海岛有苏枋国，其地产此木，故名。今人省呼为苏木尔。"之所以出现这种误说，究其缘由，可能是由于元明时期苏木是东南亚地区输入中国大宗货品之一造成的。

苏枋用于染色的记载始见于西晋嵇含《南方草木状》：
"苏枋树类槐花，黑子，出九真，南人以染绛，渍以大庚
之水，则色愈深。"文中"九真"系西晋时的郡名，在今
越南中部；"大庚"可能指大庚岭，即江西、广东交界处
的梅岭。

　　苏枋的赭褐色心材中所含无色的原色素叫"巴西苏
木素"，经空气氧化变成有色的"巴西苏木红素"。它易
溶于水中，可染毛、棉、丝纤维，其色彩视所加媒染剂种
类而各殊，范围为红至紫黑，皆具有良好的染色牢度。一
般铬媒染剂得绛红至紫色，铝媒染剂得橙红色，铜媒染剂
得红棕色，铁媒染剂得褐色，锡媒染剂得浅红至深红色。
用苏枋染出的红色和用红花染出的蜀红锦以及广西锦的赤
色，十分接近。与其他红色植物染料相比，苏枋比茜草的
色彩艳丽，比红花提取简便。

3. 蓝色调染料植物

蓝草是古代应用最早和最广的蓝色植物染料，品种很多，大凡可以制靛的植物均可称为蓝草。在古文献中，出现的蓝草品种名称有蓼蓝、大蓝、槐蓝、芥蓝、马蓝、菘蓝、冬蓝、板蓝、吴蓝、甘蓝等十余种。有学者对这些不同的蓝草品种做了研究，认为古代实际上用于染蓝的常用蓝草品种只有寥寥四种，分别是蓼蓝、菘蓝、木蓝和板蓝。之所以出现这么多品种，是因为从很早开始，各地对蓝草的习用名便已五花八门，并随着书籍记载的混乱和知识的流传，人们的理解就出现了偏差，往往将同一品种误解为不同品种①。

① 张海超、张轩萌：《中国古代蓝染植物考辨及相关问题研究》，《自然科学史研究》2015年第3期，第330—341页。

　　蓼蓝（**下篇图24**），又叫蓝靛草，蓼科一年生草本。
一般在二、三月间下种，六、七月成熟，即可第一次采摘
草叶，待随发新叶九、十月又熟时，可第二次采摘。至迟
在商周时期人们已对蓼蓝生长特性有了一定认识，《夏小

下篇图 24　蓼蓝

正》里有这样的记载："五月，启灌蓼蓝。"据最早为这本书作注的《夏小正传》解释："启者，别也，陶而疏之也。灌也者，聚生者也，记时也。"明人张尔岐注云："盖种蓝之法，先莳于畦，生五六寸许，乃分别栽之，所谓启也。"就是说，在夏历五月蓼蓝发棵时，要趁时节分棵栽种。又据《礼记·月令》记载，仲夏月"令民毋艾蓝以染"。孔颖达《正义》云："别种蓝之体初必丛生，若及早栽移则有所伤损，此月蓝既长大，始可分移布散。"按：仲夏月即夏历五月，正是蓝草发棵的季节，这时如果收采，会影响蓝草的生长。《礼记》所述与《夏小正》的记载是一致的，充分说明先秦时期人们对蓝草生长规律认识之深，使用之广泛。

菘蓝（**下篇图25**），又叫茶蓝、半蓝、中国大青、中国菘蓝。属于十字花科二年生草本植物，顶生黄色小花，

下篇图 25　菘蓝

叶片类似菠菜或橄榄菜，花开在叶片中央，染色部位为叶片。宋以降，用它制靛的记载非常多，如宋代罗原《尔雅翼》记载用菘蓝作靛染青色。元代《至顺镇江志》记载"菘蓝可为靛"。明代《救荒本草》转引《本草》谓："菘蓝可以为靛，染青，以其叶似菘菜，故名菘蓝。"

　　板蓝（**下篇图26**），爵床科板蓝属。板蓝性喜潮湿，多生于亚热带地区的林边地带，主要分布在印度东部、东南亚、中国西南到东南的热带和亚热带地区。台湾学界至今习惯将板蓝称为山蓝。这种蓝草的利用时间也很早，《尔雅·释草》中便有相关的记载："葴，马蓝。"郭璞

下篇图 26　板蓝

注："今大叶冬蓝也。"

木蓝（**下篇图27**），古代称之槐蓝、大蓝、大蓝青、水蓝、小菁、本菁、野青靛。豆科多年生灌木，开赭粉红色的小花，以种子繁殖。木蓝染色始见于汉代，其形态特征以李时珍《本草纲目》所记最为详尽，谓："木蓝，长茎如决明，高者三四尺，分枝布叶，叶如槐叶，七月开淡红花，结角长寸许，累累如小豆角，其子亦如马蹄决明子而微小，迥与诸蓝不同，而作淀则一也。"

蓝草染色原理是：蓝草叶中含有靛质（$C_{14}H_{17}NO_6$），当蓝草在水中浸渍（约一天）后，靛质发酵分解出可溶于

下篇图 27　木蓝

水的原靛素，此时的浸出液呈黄绿色。而原靛素在水中生物酶作用下，进一步分解成在植物组织细胞中以糖甙形式存在的吲哚酚（吲羟、吲哚醇）。吲哚酚又经空气氧化，生成不溶于水的靛蓝素（$C_{16}H_{10}N_2O_3$）析出。靛蓝是典型的还原染料，有较好的水洗和日晒色牢度。

4. 紫色调染料植物

　　古代用于染紫的染料植物有紫草、紫檀（青龙木）、野苋和落葵，其中紫草的染紫效果最佳，各地应用最为普遍。

　　紫草（**下篇图28**），古代又名茈、藐、紫丹、紫荆
等，紫草科多年生草本植物。其色素主要存在于植物根
部，采挖紫草根一般是在八、九月间茎叶枯萎时。早在春
秋时期，紫草染色便在山东兴盛起来。《管子·轻重丁》
记载："昔莱人善染练，茈之于莱纯缁。"茈即紫草，
莱即古齐国东部地方。这段话的意思是齐人擅长于染练

下篇图 28　紫草

工艺，用紫草染"纯缁"。齐人工于染紫，是由于齐君好紫。《韩非子》记载了这样一件事：齐桓公好服紫，导致一国尽服紫，风头最盛的时候，五件素衣都换不来一件紫衣。当齐君发现不妥予以制止时，几乎不起作用。直到管仲进谏，劝齐君自己不再穿紫衣，而且对穿紫衣入朝的臣僚说"吾甚恶紫衣之臭"，令他们退到后面。齐桓公采用这条计策后，紫衣的流行势头才被遏制。《周礼》将色彩分为正色和间色，青、赤、黄、白、黑为"五方正色"。正色之间调配出的绿、红、碧、紫、骝黄（硫黄）为"五方间色"。紫色系五方间色，对齐君这种有悖于《周礼》规定的颜色嗜好，儒家深恶痛绝，其代表人物孔子有"恶紫之夺朱"、孟子有"正涂壅底，仁义荒怠，佞伪驰骋，红紫乱朱"的言论。另据文献记载，唐宋时期山南道的唐州、剑南道的成都府和蜀州、河南道的青州、河东道的晋州和潞州、河北道的魏州，所产紫草品质较佳，都曾作为土贡产品进献朝廷。

紫草是典型的媒染染料。色素的主要化学成分是萘醌衍生物类的紫草醌和乙酰紫草醌，这两种紫草醌水溶性都不太好，染色时若不用媒染剂，丝、麻、毛纤维均不能着色，因此必须靠椿木灰、明矾等媒染剂助染，才能得到紫色或紫红色。

5. 绿色调染料植物

古代的绿色服饰大多由复染拼色而成，可以直接单独染绿的染料植物没有几种，其中最为著名的是鼠李。现知的可以直接染绿的植物似乎只有鼠李一种。

鼠李（下篇图29），又名冻绿、山李子、朱李，多年生落叶小乔木或灌木。因可以直接染绿，故又被称作"中国绿"。鼠李用于染色的历史很早，德国的吉·扎恩在其

下篇图 29　鼠李

撰写的《染色历史》中国部分中写道："古代，非常有
名的物质之一是绿色染料，中国话称之为'绿果'（Lao
ko），这类染料是由各种鼠李属的灌木制成的。这种树
木的木材、多汁的果子，都被色素染成浓重的黄色。如果
把它们的浓缩液和明矾、碳酸钾并用，即成绿色的植物染
料。蚕丝直接吸收，染成蓝绿色，在弱碱性染浴中可直接
染植物纤维。"[①]他认为鼠李染色技术大概在公元前2000
年可能就已出现。从《太平御览》引郭义恭《广志》所载

①　赵丰：《冻绿—中国绿——中国古代染料植物研究之二》，
《中国农史》1988年第3期，第77—82页。

"鼠李，牛李，可以染"，可知晋代时鼠李被用于染色是没有问题的，可惜文中未言明是否直接染绿。

鼠李的色素成分有天然绿一号、天然绿二号、鼠李宁和甲基鼠李素等。在这些色素中都存在着一定的可络合基团，所以既可直接上染纤维，也可用金属盐媒染。它的上染牢度较佳，具有耐光性、耐酸性和耐碱性。

6. 黑色调染料植物

用于染黑的染料植物有麻栎的果实、胡桃、杨梅树皮、莲子壳等多种，其中以麻栎用量较大，是古代最主要的黑色染料植物。

麻栎（下篇图30），多年生高大落叶乔木，又名柞树、柞栎、栩、橡、枥、象斗、橡栎、橡子树、青枫等，果实称为皂斗。因黑色是五方正色之一，皂斗又是主要黑色染料，所以需求量非常大，《周礼·地官·大司徒》在

下篇图 30　麻栎

谈及诸如山林、川泽、丘陵等五种不同自然环境的地物时，特别指出："山林，……其植物宜皂物。"《诗经》中有多处诗句提到皂斗，如《唐风·鸨羽》："肃肃鸨羽，集于苞栩。"《秦风·晨风》："山有苞栎，隰有六駮。"《小雅·四牡》："翩翩者雕，载飞载下，集于苞栩。"征收和发放皂斗，也是《周礼·地官》中所记"掌染草"官员的职责之一。

麻栎的果实皂斗和树皮中含多种鞣质，属于没食子鞣质与六羟基二苯酸的酯化产物，又称"并没食子鞣质"。鞣质又称丹宁，在空气中易氧化聚合，也容易络合各类金属离子，是一种结构十分复杂，具有多元酚基和羧基可水解的有机化合物。鞣质的可水解性使它非常容易提取，方法是将壳和树皮破碎后，用热水浸泡，使其溶出。水温以40—50度为宜，过高，鞣质易分解；过低，则浸出时间太长。其染色机理是在已浸出鞣质的染液中加入铁盐媒染，鞣质先与铁盐生成无色的鞣酸亚铁，再经空气氧化生成不溶性的鞣酸高铁。因鞣酸高铁是沉淀色料，沉积在纤维上后牢度非常好。

四、染料的制备及染色

从古代染匠的染色经验来看，他们往往将染料分作酸性染料、还原染料和媒染染料三大类，其中媒染染料也包括一些直接染料和碱性染料，如姜黄、黄檗、黄栌、麻栎、胡桃、五倍子等。不同类别的染料采用的制取方法和染色工艺是有差别的。

1.还原染料的制备及染色——以蓝草为例

蓝草是典型的还原染料。最初用蓝草染色，采用的便是鲜蓝草叶发酵法，即直接把蓝草叶和织物揉在一起，揉碎蓝草叶，让液汁浸透织物；或者把织物浸入蓝草叶发酵后的溶液里，然后再把吸附了原靛素的织物取出晾放在空气中，使吲哚酚转化为靛蓝，沉积固着在纤维上。这种方法染色受季节限制，因为植物色素在植物体内难以长期保存，采摘的鲜叶必须及时与织物浸染，否则会失去染色价值。故在制靛技术出现以前，染色只能在夏秋两季进行。大约在魏晋时期，制靛技术才出现。

由于含靛植物属于不同科，因此种植和收获季节也各不相同，并进而导致了制靛方法有所不同。北魏贾思勰在其著作《齐民要术》中记载了当时用菘蓝制靛的方法：

"刈蓝倒竖坑中，下水"，用木头或石头镇压蓝草，以使其全部浸于水中。浸渍时间是"热时一宿，冷时再宿"。然后将浸液过滤，置于瓮中，再按1.5％的比例往滤液中加石灰，同时用木棍急速搅动滤液，使溶液中的靛甙和空气中的氧气加快化合，待产生沉淀后，"澄清泻去水"，另选一"小坑贮蓝靛"，再等它水分蒸发到"如强粥"状时，则"蓝靛成矣"。明代宋应星《天工开物》记载了用马蓝制靛的方法：造靛时，叶与茎，量多时入窖，量少时入桶与缸。用水浸泡七天，蓝汁就出来了。每一石浆液，放入石灰五升，搅打几十下，蓝靛就凝结了。水静止以后，靛就沉积在底上。

近代侗族人制取蓝靛的工艺与贾思勰所记很接近，但所用工具有所不同。他们沤制蓝靛的工具有：大木桶、用竹篾编的比桶口略小的竹筛子、两根木棍、两块大青石、一个装石灰的小布袋以及一个脸盆。沤制过程如是：将采摘的蓝草洗净放入木桶，加清水漫过放入的蓝草后用竹筛子盖在上面，然后用两根木棍交叉成十字将竹筛子卡在桶口，盖上木桶盖浸沤。浸沤时间视天气状况而定，一般骄阳高照的日子只需一天一夜，天气凉爽的日子则要久一些。第二天木桶里的水变成蓝绿色，水面上有一薄层红铜色的漂浮物并泛有白色泡沫，说明蓝草已经沤透。把木棍、竹筛、沤透的蓝草和残存物依次捞出来后就可加入石灰了。加石灰的方式有两种：一是将石灰装入小布袋后放入水中不断地摇晃捏挤使石灰与水交融；二是用盆装上石灰直接放进桶里上下左右摇晃让石灰交融到水里。加入石灰后蓝绿色的水会慢慢变灰绿色，泡沫也由白色慢慢变成蓝色。待出现紫色泡沫后说明所放石灰已够量，这时就可以把布袋或石灰盆取出开始"打靛"了。打靛是用大瓢或

下篇图 31　观察靛的质量

盆将桶中的水翻搅，直到泡沫变深蓝色为止。这个方式和
过程看似简单，实则非一般生手可以胜任。经验丰富的打
靛人只需看"水门"，即边打花边观察靛水颜色变化就可
判断打靛的火候；而不会看"水门"的打靛人只能用舌尖
尝试靛水味道来判断打靛的火候。打完靛后盖上木桶盖，
8—12小时后蓝靛便可在桶底沉积而成。判定蓝靛质量好
坏的方法是：将蓝靛蘸一点在手上，迎着阳光观察靛的颜
色，凡靛色泛灰，表明制靛时石灰加多了，凡靛色发暗，
表明沤渍时间过长，只有靛色呈深蓝色并有些反光的才是
好靛。（**下篇图31**）

在使用经化学加工的靛蓝染色时，需先将靛蓝入于酸性溶液之中，并加入适量的酒糟，再经一段时间的发酵，即成为染液。染色时将需要染色的织物投入浸染，待染物取出后，经日晒而呈蓝色。其染色机理是酒糟在发酵过程中产生的氢气（还有二氧化碳）可将靛蓝还原为靛白。靛白能溶解于酸性溶液之中，从而使纤维上色。织物既经浸染，出缸后与空气接触一段时间，由于氧化作用，便呈现鲜明的蓝色。为增加上染率，民间染蓝多采用复染工艺。所谓复染，就是把纺织纤维或已织造好的织物，用同一种染液反复多次着色，使颜色逐渐加深。其缘由是植物染料虽能和纤维发生染色反应，但受限于彼此间亲和力的高低，浸染一次只有少量色素附着在纤维上，得色不深，欲得理想浓厚色彩，须反复多次浸染。而且在前后两次浸染之间，取出的纤维织物不能拧水，直接晾干，以便后一次浸染能进一步更多地吸附色素。

2.酸性染料的制备及染色——以红花为例

红花素从结构上来看并不与现在定义的酸性染料相同，但因为红花素只能在酸性浴中上染，因此也可称为酸性染料。如前述，红花中含有黄色素和红色素两种色素，其中只有红色素具有染色价值。近代染色学中提取红花素的方法是利用红色素和黄色素皆溶于碱性溶液，红色素不溶于酸性溶液、黄色素溶于酸性溶液的特性。先用碱性溶液将两种色素都从红花里浸出，再加酸中和，只使带有荧光的红花素析出。我国自汉以来的各个时期，也一直是利用红花的这种特性来提纯和染红的。

红花染料的制备形式一般有两种：一种可称之为干红花，另一种是红花饼。干红花的制作法在《齐民要术》中有详细记载，并称为杀花法。其法是：先捣烂红花，略使发酵，和水漂洗，以布袋扭绞黄汁，放入草木灰中浸泡一些时间，再加入已发酵之粟饭浆中同浸，然后以布袋扭绞，备染。按：草木灰为碱性溶液，而发酵的饭浆呈酸性。红花饼制法最早见于晋代张华《博物志》，但以明代宋应星《天工开物》所载最为详细："带露摘红花，捣熟，以水淘，布袋绞去黄汁。又捣以酸粟或米泔清。又淘，又绞袋去汁。以青蒿覆一宿，捏成薄饼，阴干收贮。染家得法，我朱孔阳，所谓猩红也。"在制饼过程中加入青蒿可防止红花饼霉变。在染色时为使红花染出的色彩更加鲜明，要用呈酸性的乌梅水来代替发酵之粟饭浆使红色素析出。特别值得指出的是，我国古代不但能够利用红花染色，而且能从已染制好的织物上，把已附着的红色素，重新提取出来，反复使用。这在《天工开物》里也有明确记载："凡红花染帛之后，若欲退转，但浸湿所染帛，以碱水、稻灰水滴上数十点，其红一毫收转，仍还原质。所收之水藏于绿豆粉内，放出染红，半滴不耗。"这段记载听起来，好像不易理解，其实是有道理的。这便是利用红花红色素易溶于碱性溶液的特点，把它从所染织物上重新浸出。至于将它储于绿豆粉内，则是利用绿豆粉充作红花素的吸附剂。事实上，这一技术早在唐初就已为人们所掌握。在吐鲁番出土的很多印花织物便是用这一原理进行防染和拔染印花出来的，因此很可能正是由于红花素这一特殊的性能，从而导致了拔染印花的产生。（下篇图32）

下篇图 32　红花染出的红色

红花染色多是采用直接复染法。其法是将待染织物直接放入到有染料植物的枝叶或其他富含色素部分的发酵染液里面，通过浸或煮的方式，并根据所定色调的深浅，在同一染液中一次或多次浸或煮织物，从而使之着色。宋应星《天工开物》中所记用此法染得的色调，计有大红、莲红、桃红、银红、水红、翠蓝、天蓝、月白、草白、象牙色、毛青布色。其中大红色染法如下：大红色的原料是红花饼，用乌梅水煎出后，再用碱水澄几次，或用稻草灰代替碱，效果相同。澄多次之后，色则鲜甚。我们知道红花中含有红色素和黄色素，红色素不溶于酸，而溶于碱，黄色素反之。乌梅水呈酸性，将红花饼用乌梅水煎的目的是进一步祛除黄色素，提纯红色素。莲红、桃红、银红、水红四色，原料亦是红花饼，工艺同大红色，不过颜色的深浅随红花饼的分量增减而定。

3. 媒染染料的制备及染色——以紫草和槐米为例

在染料植物中，除少数几种外，大多数都对纤维不具有强烈的上染性，不能直接染色，必须借助金属盐类媒染剂，使染料分子中的配位基团和金属盐发生化学反应，色素才能以络合物的形式附着在纤维上。媒染不仅适用于染各种纤维，而且利用不同的媒染剂，同一种染料还可染出不同的颜色。

媒染植物染料的色素一般均可直接用水煎出，因此，其染料制备之关键也就在于保存色素，其方法较之靛蓝和红花要简单得多。以紫草为例，为不使色素变质，在收割之时就要注意一些事项，如《齐民要术》所载：收割之时"四扼为一头，当日即斩齐，颠倒十重许为长行，置坚平之地，以板石镇之令扁（湿镇直而长，燥镇则碎折，不镇卖难售也）。两三宿，竖头着日中，曝之浥浥然（不晒则郁黑，太燥则碎折）"。可见这样做不仅色素保存得好，成品的外观也好看，利于出售。再以槐米为例，《天工开物》载槐花饼制法：花未开者曰槐蕊，"取者张度篾稠其下而承之。以水煮一沸，漉干捏成饼，入染家用。既放之，花色渐入黄，收用者以石灰少许晒拌而藏之"。显然石灰晒拌是为了干燥，以防色素丢失，而制饼是为了有个好形状，以便运输和出售。

紫草和槐米这两种染料植物如不用助染剂，紫草基本不能使纤维着色，槐米只能染黄色，但染色牢度极差。只有加铝盐或铁盐媒染剂后，它们才能分别染出橘黄色、紫色和黑色，且染色牢度较佳，所以媒染剂是必不可少的工艺条件。（下篇图33、34）

古代媒染剂大多为铁剂和铝剂两类。

铁离子媒染剂主要来源基本有三：一是黄铁煤矿石的

下篇图 33　紫草根染出的紫色

下篇图 34　槐米染出的黄色

浆液；二是用黄铁煤矿石焙烧的绿矾；三是含铁的河泥。其中绿矾最为重要，因其能用于染黑，故又称皂矾。其化学组成为$FeSO_4 \cdot 7H_2O$，易溶于水，可在空气中逐渐氧化成硫酸铁，其铁离子能与媒染染料中的配位基团络合。在中国古代众多应用矾中，这种矾的制造工艺是最早出现的，而它的出现很有可能就与染皂有关，甚至有学者认为"那时生产的绿矾实际上主要就是利用它来媒染皂黑"。唐代陈藏器《本草拾遗》记载了一种锈蚀铁器制作铁媒染剂的简便方法，谓"取诸铁于器中，以水浸之，经久色青沫出，即堪染皂"。其原理是让铁在水中被氧化成氧化铁，并转化为氢氧化铁而沉淀，极少量的铁离子能起到媒染作用。

铝离子媒染剂主要来源于明矾，亦即白矾。它系硫酸钾和硫酸铝的复盐，入水即水解，生成氢氧化铝胶状物，其铝离子能与媒染染料中的配位基团络合。在自然界中并无明矾，它是人工焙烧白矾石的产物。我国开始焙制明矾的时间，有籍可查的，至少可追溯到汉代，在大约成书于西汉后期的《太清金液神丹经》中的丹方里曾明确提到使用明矾。少量来源于含铝离子植物的草木灰，历史上用于烧灰作媒染剂的植物主要有藜、枥木、山矾、蒿等。据现代科学方法测定，它们均含有丰富的铝元素。

媒染工艺不外乎同媒法、预媒法、后媒法和多媒法四种。其中同媒法是将织物直接放在加有媒染剂的染液中染色，较有代表性的是《齐民要术》所载用地黄染御黄的方法以及染蓝时将草木灰放入蓝靛液染蓝的方法。预媒法是将媒染剂溶于水，织物先在这个水溶液浸泡一段时间后取出，再放入溶液入染。较有代表性的是紫草染色，这是因为紫草色素的化学成分主要是萘醌衍生物，如紫草醌和乙酰紫草醌，由于这两种紫草醌的疏水性侧链比较长，因此水溶性要差一些，采用预媒染的方法可得到较好的染色效果。后媒法与预媒法正好相反，即织物先在染液中浸染一段时间后取出，再放入有媒染剂的水溶液浸泡。它的特点是先以亲和性不很强的染料上染，使染料在纤维上和染浴中达到平衡、匀染，然后用媒染剂使其在纤维表面形成络合，并可根据需要掌握后媒浓度，以达到适当的色彩。因此，它较之于同媒或预媒的优点在于匀染好，终点准。较有代表性的是槐米染油绿色，其法是先用槐米薄染织物，取出后再入青矾液。多媒法是指先用明矾预媒，然后染色，再用青矾后媒的媒染工艺。其原理是先使一些能与染料络合但得色较浅的媒染剂，如铝媒染剂，与纤维以离子键结合，然后将预媒后的纤维染色，这样染料较易上染并与已有的金属离子络合，最后由得色较深的媒染剂盖上，如铁媒染剂，此金属离子就与大部分吸附在纤维表面的染料络合，或是将原来络合中的铝离子取而代之，从而获得较深、较匀、较牢的色泽。较有代表性的是苏木染枣褐色，其法是先将织物用明矾预媒，再入苏木溶液浸染，取出后再用青矾盖。

　　上述几种染色工艺，视不同的染料植物，染色效果好坏不一，但就多数媒染染料而言，预媒法得色不牢，终点不准；同媒法不易染匀染准；后媒法速度较慢；相对的多媒法染色工艺更为合理。总之，媒染染料较之其他染料的上色率、耐光性、耐酸碱性以及上色牢度要好得多，但它的染色过程也比其他染法复杂，媒染剂用量如稍微使用不当，染出的色泽就会大大地偏离原定标准，而且难以改染。必须正确地掌控，才能达到目的。

参考文献

1.杜燕孙.国产植物染料染色法[M].上海：商务出版社，1938.

2.中华人民共和国商业部土产废品局，中国科学院植物研究所.中国经济植物志[M].北京：科学出版社，1961.

3.新疆维吾尔自治区博物馆，出土文物展览工作组.丝绸之路：汉唐织物[M].北京：文物出版社，1973.

4.新疆维吾尔自治区博物馆.新疆出土文物[M].北京：文物出版社，1975.

5.宋应星.天工开物[M].钟广言，注释.广州：广东人民出版社，1976.

6.上海市丝绸工业公司，上海市纺织科学研究院.长沙马王堆一号汉墓出土纺织品的研究[M].北京：文物出版社，1980.

7.贾思勰.齐民要术校释[M].缪启愉，校释.北京：农业出版社，1982.

8.吴山.中国工艺美术大辞典[M].南京：江苏美术出版社，1988.

9.朱新予.中国丝绸史：通论[M].北京：纺织工业出版社，1992.

10.赵匡华，周嘉华.中国科学技术史：化学卷[M].北京：科学出版社，1998.

11.赵承泽.中国科学技术史：纺织卷[M].北京：科学出版社，2002.

12.张琴.中国蓝夹缬[M].北京：学苑出版社，2006.

13.郑巨欣.中华锦绣：浙南夹缬[M].苏州：苏州大学出版社，2009.

14.吴元新，吴灵姝，彭颖.中国传统民间印染技艺[M].北京：中国纺织出版社，2011.

15.吴元新，吴灵姝.刮浆印染之魂[M].哈尔滨：黑龙江人民出版社，2011.

16.吴元新，吴灵姝.中华锦绣：南通蓝印花布[M].苏州：苏州大学出版社，2011.

17.李时珍.本草纲目[M].北京：中国医药科技出版社，2011.

18.赵丰，王乐.敦煌丝绸[M].兰州：甘肃教育出版社，2013.

19.赵翰生，邢声远，田方.大众纺织技术史[M].济南：山东科学技术出版社，2015.